i-BOSAIブックレット
No. 1

誰一人取り残さない防災に向けて、福祉関係者が身につけるべきこと

立木茂雄 著
Tatsuki Shigeo

●目次

はじめに

多くの災害が起こるたびに、年齢の高い方や障がいのある方々に、被害が集中してきました。この問題をなんとか解決したい。そのなかで、福祉の専門職の方々に、この問題の解決にぜひ関わっていただきたいと思い、本書を執筆いたしました。

防災をどのように考えるのか、福祉の専門職の立場からどのような関わりをしていただきたいのかといったことを、このブックレットのなかで見ていきます。

目標は、誰一人取り残さない防災の実現です。そのためには、災害を生きぬく当事者の力を高め、誰一人取り残されないようにしたい。地域の力を高め、誰一人取り残さないようにしたい。さらに、このような取り組みを可能にするためには、誰一人取り残させないという、社会による正義の実現が欠かせません。

当事者が誰一人取り残されない。地域は誰一人取り残さない。そして社会は誰一人取り残させない。この三つの力を重ね合わせることによって、災害時に年齢の高い方や障がいのある方々に被害が出ないようにしたい、命を守りたいのです。

福祉の専門職の方々の立場でできること、していただきたいこと、この被害をなくすために必要なことを、この小さな冊子のなかで見ていきます。

1 防災と福祉の考え方

防災の基本的な視点

二つの視点

まずは防災の基本的な考え方について見ていこう。実は、二つの視点を押さえるだけで、防災対策の基本的な考え方を身につけることができる。

一つは、**図1**の左側の円で示した、被害を産み出す直接のきっかけになるような自然の現象のことである。こういった自然現象を、防災の世界では〈ハザード〉と呼んでいる。たとえば大雨が降って堤防が切れ、洪水が押しよせる。あるいは大量の雨水が土砂に吸いこまれ、崖崩れが起きる。津波が押しよせる。地面が揺れる。このような、危険をもたらす自然現象が、〈ハザード〉だ。

日本の自治体の下水道は、時間降雨量が五〇ミリまでを想定した設計になっている。つまり五〇ミリを超えると、道路に水があふれてくる。そして地面が低いと内水氾濫が起こる。堤防が大丈夫でも、床下や床上浸水が起こる。何メートルまで水が上がってくるのか、地面の高さを測ると事前にわかる。こういったことも、〈ハザード〉である。

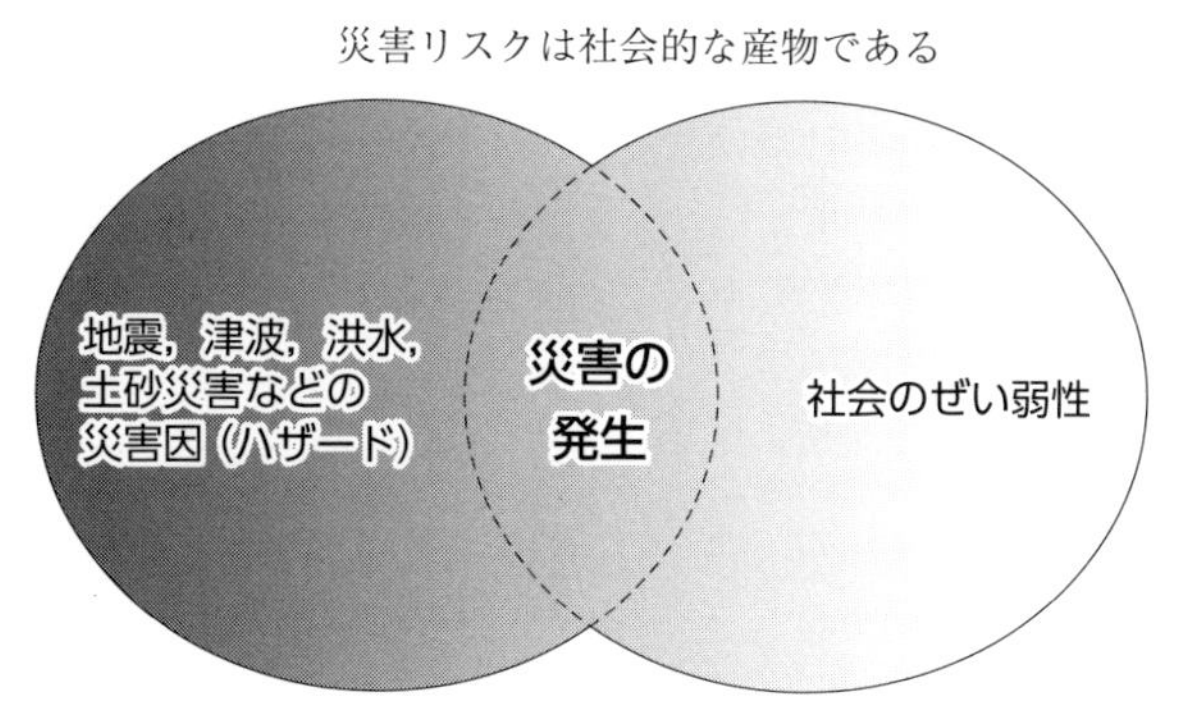

図1　防災の基本的な視点

この〈ハザード〉は、日常では聞きなれない言葉のように思われるかもしれない。けれども、たとえば車の運転中に、高速道路で急に具合が悪くなって路肩に寄せなければならなくなることがあるだろう。そのときに押すボタンをハザードランプと呼ぶ。そのハザードと同じ言葉である。つまり、危険をもたらす事象のことを〈ハザード〉と呼ぶわけだ。

ここで大事なことは、ハザード＝災害ではないということ。無人島、すなわち誰も住んでいないところを津波が襲っても、それは津波ハザードではあるが、被害は出ない。そうすると、それは災害にはならない。

ということは、災害という現象が起こるためには、もう一つの視点が必要になってくる。それが**図1**の右の円で表現している、社会が抱えるぜい弱性のことである。

地面が揺れる。その揺れに耐えられないぜい弱な住宅が倒壊する。倒壊した住宅の下敷きになって、人が亡くなる。こう考えると、災害はハザードが社会のぜい弱な側面を襲う結果として表れてくるといえる。たとえ地面が揺れようが、丈夫な住宅であれば家は倒壊せず、結果的に人的な被害は産まれない。そのように考えると、被害が生じる災害という現象は、社会的な産物であることが見えてくる。そして、社会的な産物であるとすれば、災害とはつまり、社会現象ということになる。災害が社会現象であるならば、社会的な取り組みや対策を通じて、その被害を減じていくことができる。決して運を天に任せるような話ではなくて、私たちが汗をかけば、被害は社会的な取り組みによって減じることができるのだ。これが防災の考え方である。

防災の視点をもう一度言いかえると、**式(1)**のようになる。災害のリスクは、その社会を襲うハザードと、その社会が本質的に抱えているぜい弱性、この二つの関数だということだ。

災害リスク＝f（ハザード、ぜい弱性）……(1)

先ほどの事例で見た通り、津波というハザードが無人島を襲っても、それは災害にはならない。なぜなら人間社会という、ぜい弱な側面が存在しないからなのだ。

防災と減災

災害の対策、すなわち防災に話を移そう。戦後の日本社会では、災害の対策として長いあいだ、**図1**の左側の円、すなわちハザードを小さくすることに注力し、その取り組みのことを「防災」と呼んできた。

たとえば、大雨が降り、堤防が耐えきれずに越水や破堤すると、その結果として住宅に浸水が起こる。それならば、堤防をしっかりしたコンクリートのものにして嵩（かさ）を上げたり、ダムを上流に造って流量を制限し

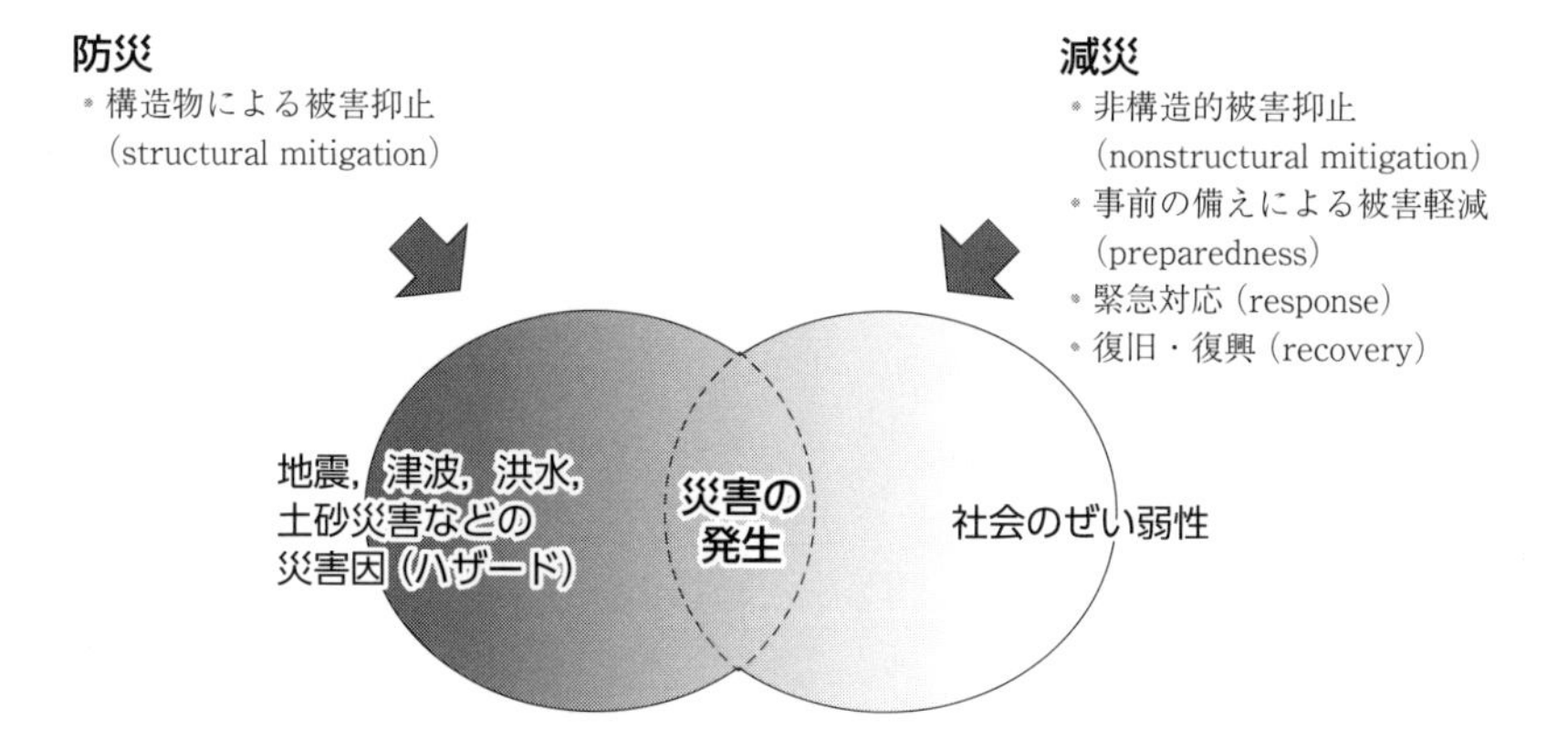

図２　防災・減災の方法

たりする。それによって、大雨が降っても堤防が崩れたり切れたりしないようにするといった対策である。このような災害対策は、土木による対策ということができる。ハザードの持っている力を減じることが、戦後社会のなかで培われた主流の災害対策（防災）だった。

土木事業による防災は、基本的にはある土地をどれくらいのハザードが襲うのかを想定して、そのハザードに十分なだけの強度を保証するという考え方に基づく。ところが、一九九五年に阪神・淡路大震災が起き、兵庫県を中心に広範な被害をもたらした。そして、思いもしなかったような事態、たとえば阪神高速が倒壊する、橋脚が破壊される、鉄道が大きな被害を受けるといったことが起きた。なぜかというと、それらの構造物は設計上、阪神・淡路大震災で見られた激しい揺れは想定していなかったからだ。言い方を変えると、ハザードの力を減衰する防災は、想定しているハザードよりも大きな現象が起きると、途端に無力になるのである。

こういった教訓を受けて、社会が抱えるぜい弱性をむしろ小さくしていくような取り組みにもっと力を向けるべきだという考え方が強まった。これが**図2**の右側に示した〈減災〉の考え方である。

阪神・淡路大震災では地震の後に起きた火災によって多くの人の命が奪われた。その跡地に元のような住宅を建てると、再び地震が起きれば同じことが起こってしまう。そこで、緊急車両が通れるような広い道路の整備、いざというときに逃げられるような公園の設置といった都市計画・復興まちづくりを通し、被害を予防する方策が採られるようになった。

しかし、この取り組みだけでも充分ではなかった。二〇一一年の東日本大震災では、津波が来る前に逃げなければならず、住民の避難を促すための警報が必要であり、さらに、各自が判断をして安全なところに逃げなければならない、といったことに改めて注目が集まった。そのなかで、事前の備えによって被害を軽減・抑止するだけでなく、被害が出ざるをえないときにも、その被害をできるだけ小さくしていこうという考え方が主流になってきた。

このような、都市計画や防災訓練を通じて、皆がお互いの命を守れるような仕組みを作り、社会におけるぜい弱な側面を小さくする取り組みが〈減災〉である。減災とは、災害による被害が社会的な産物であるならば、社会的な取り組みを駆使して被害の抑止や軽減を図ることができるという考え方である。

福祉の考え方の基本

障がいはどこにあるか

福祉の考え方とは、そもそもどういうものだろうか。障がいのある方への対応を考えるとき、障がいとは「何」で、「どこ」にあるのだろう。障がいのとらえ方も変化をたどってきた。

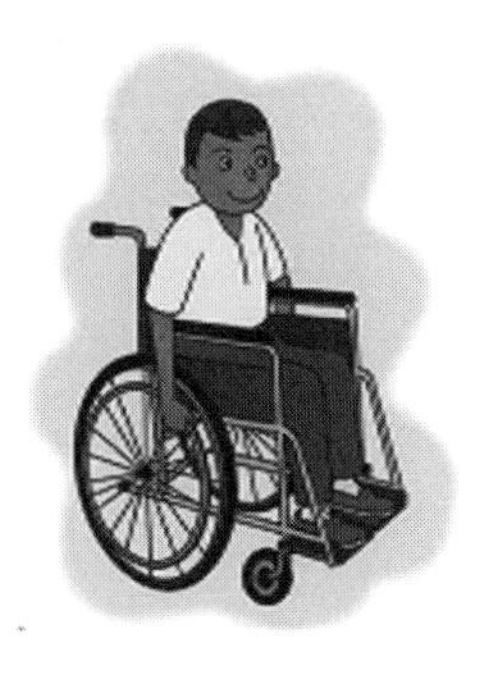

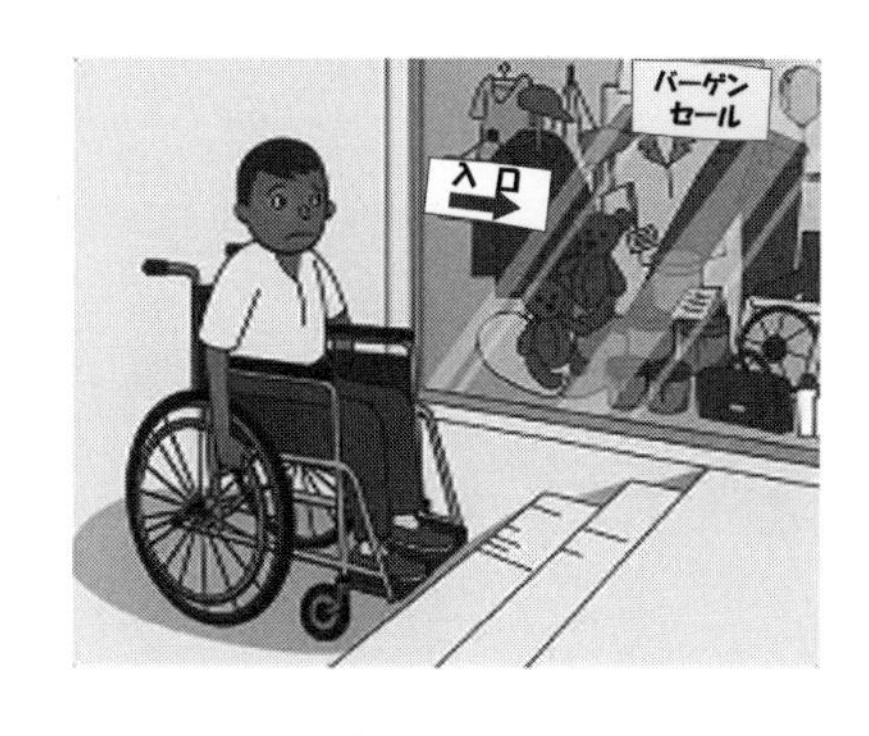

障がいの医学モデル　　障がいの社会モデル

（出典） Disability Equality Training 教材。

図3　障がいとは「何」？「どこ」にある？

図3の左側では、下肢が不自由で車いすに乗っておられる方を、障がいのある方だと定義している。かつてはこのような、何らかの医学的な原因――疾病や事故など――によって、心身の構造や機能に何らかの不自由があることを障がいと考えていた。しかし、日本は二〇一四年一月、障がいのある方をこのようなかたちで定義するのをやめるという宣言をした。障害者権利条約の批准である。国際条約に批准することによって、日本の制度や法制が縛られることを宣言したということだ。

障がいの社会モデル

では、障がいが現在、どのように定義されているのかというと、**図3**右側のイラストのようになる。下肢が不自由な方が車いすで街中に買い物に行き、バーゲンセールの会場に入りたいと思う。けれども、入り口に段差があるために、バーゲン会場に入れない。まさに社会の側が作り上げた障壁によって、この人の活動が制限され、買い物をするという社会参加が制約を受けている。これこそが障がいなのである。つまり、この人に生じる不利益は、決して下肢が不自由だということに由来するのではなく、その方が車いすで社会活動に参加しようとしたときにそれを阻むバリア、障壁が社会の側にあることに由来する。このような障害の見方のことを、〈障害の社会モデル〉という。

図3の車いすの人が、バーゲン会場に入れないのは、段差があって一人では上れないからである。あるいは、入り口が一階ではなく、階段を上ったところにあるからである。それが障壁ではないか、ととらえるのが障がいの社会モデルの考え方である。これが現在では世界標準の障がいの考え方となっており、この社会モデルに基づいて、日本社会は取り組みをしている。

社会の側が段差を取り除く努力や取り組み、あるいは合理的配慮を提供すれば、当事者の不利益を社会の側で減じることができる、つまり主体（当事者）と客体（環境）との相互作用のなかで、その人の不利益が決定される、と福祉では考える。

防災の考え方と福祉の考え方は、実は非常に密接に関係している。皆さんのような福祉の専門職の方々は、ぜい弱な側面への対策を日々考えておられる。そしてそのぜい弱な側面を減じることが、今まさに防災の世界が一番一生懸命考えていることなのだ。そういった意味で、福祉専門職の方々の仕事は、防災の仕事そのものであるといえる。

防災と福祉の連結

福祉と防災の関数式

障がいの社会モデルを先ほどの防災の関数式と合わせて考えると、福祉専門職の方々がなさっている日々のお仕事との関係が見えてくる。利用者（主体）のＡＤＬと、利用者の暮らしている社会環境（客体）、この二つの相互作用のなかでぜい弱性が決まる。これはまさに、福祉専門職の方々の日々の仕事そのものではないだろうか。

たとえば、あるレベルのＡＤＬ（日常生活動作）の人のニーズに応じてどんな社会資源をマッチングすればよいのかということを、福祉専門職の方々は見立てをして処遇されている。つまり人（主体）と社会環境（客体）の相互作用のなかで、ぜい弱性とは当事者のニーズだと言いかえることもできる。これを関数のかたちにすると、式(2)のようになる。

ぜい弱性＝f（主体、客体）……(2)

最初に見た防災の関数式と、この福祉の関数式には、同じ言葉が使われていることがわかるだろう。災害のリスクはハザードとぜい弱性によって決まる。そして、ぜい弱性は、主体の要因と客体の要因によって決まるのである。

障がいの社会モデルの視点を防災に活かす

ここで、ぜい弱性を災害リスクのところに入れこむことを提案したい。防災の世界と、福祉（障がいの社会モデル）の世界は、ぜい弱性という同じ概念を扱っている。福祉のぜい弱性の概念を、防災の関数式に入れこんでみると、まるでジグソーパズルのようにピースがつながってくる。

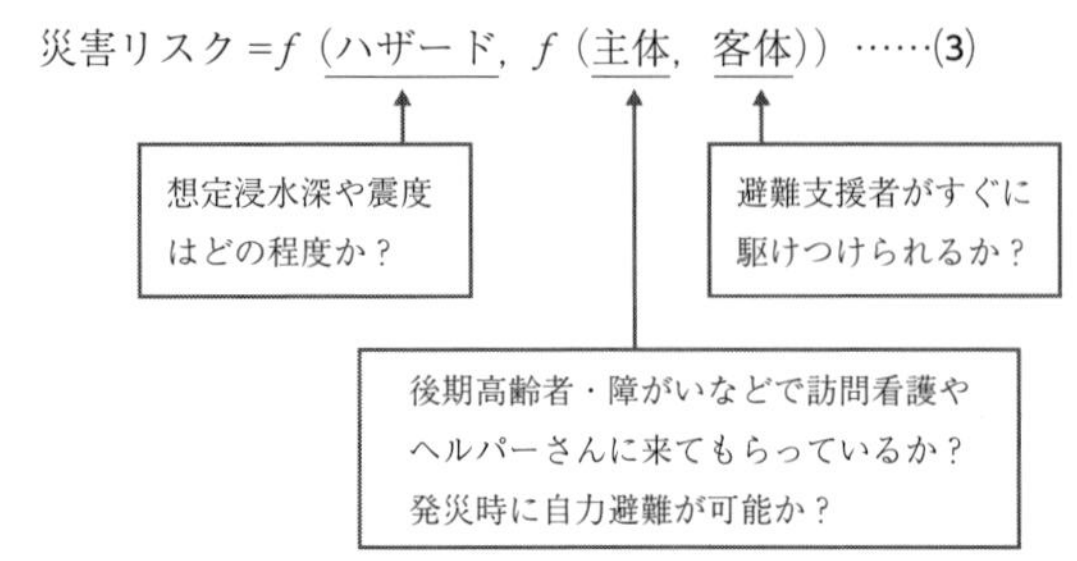

先に見たように、防災における災害リスクは、ハザードとぜい弱性の関数として表すことができる。福祉で扱うぜい弱性は、主体と客体の関数と考えられるので、防災の式に代入することができる（**式(3)**）。これが、福祉防災の考え方である。

防災が他人事ではないことが見えてきたのではないだろうか。利用者の災害リスクをとらえるのは、すでに福祉専門職の皆さんの本来のお仕事なのだ。ここでの主体側の要因は、たとえば利用者の要介護度や機能障害となる。客体側の要因はその方が暮らす場所や、いざというときにすぐに支援者が駆けつけられる状態なのかといった社会環境のことである。この二つの要因によって、当事者のぜい弱性が決まる。福祉専門職の皆さん方は、ハザードを存在しないものとして普段は仕事をされている。しかし、これからは、防災と福祉を連結させた福祉防災の考え方を広めていく必要がある。

表1は、ハザード、主体、客体のそれぞれの要因について、問題（課題）がある（×）か、問題（課題）はない（○）かの組み合わせで、どのような対策が必要かを示したものだ。表の一行目は、そのどれも問題（課題）がない（○）場合である。しかし残りの七通りの場合には、社会は何らかの対策が必要になる。たとえば、表の二行目は、近隣関係が希薄という客体（社会環境）側に課題がある場合で、対策としては地域見守りが盛んになるようなコミュ

表1　災害時に「真に支援が必要な者」とは

ハザード	避難能力 主体(ADL)	避難能力 客体(社会環境)	対策
○	○	○	
○	○	×	CSW（地域見守り）
○	×	○	介護保険等
○	×	×	地域包括ケア
×	○	○	地区防災計画
×	×	○	従前の要支援者対策
×	○	×	CSWと地区防災計画
×	×	×	防災と福祉の連結

○　課題なし　×課題あり

ニティ・ソーシャルワーク（CSW）活動が示唆される。三行目は、当事者のADLに課題がある場合で、対策としては介護保険サービス等の利用があげられる。四行目は、当事者のADLと社会環境の両方に課題がある場合で、地域包括ケアといった対策が必要となるだろう。

表1の一行目から四行目に共通していることがある。それは、このような福祉の対策は、利用者にはハザードの問題がない（ハザードは○）ということを前提にしている、ということである。これに対して、表の下半分は利用者がハザード域内で暮らしている（ハザードは×）。すると、心身ともに元気で社会関係も良好な場合には、地区防災計画などの主体としての活躍が期待される。一方、ADLに課題があるが、近隣関係が良好な場合には、いざというときには近隣の支援により安全なところまで一緒に逃げてもらうようにする従来からの要支援者対策が位置づけられる。また、ADLには課題はないものの、近隣関係が希薄な場合には、コミュニティ・ソーシャルワークと地区防災計画活動の連携が必要になるだろう。そして**表1**の最下行が、ハザード域内に暮らし、ADLに課題があり、社会関係も希薄な層への対策である。この

ような方々では、介護保険や障害者総合支援法上のサービスを利用している割合が高くなる。このためケアマネジャーや相談支援専門員などが積極的に関与していざというときの対策を事前に計画しておく防災と福祉の連結が求められるのである。

福祉専門職といえども、いやむしろ福祉専門職こそ、いざというときのことを考えたら、地域のハザードについて知っておくことが必要である。利用者がお住まいの自宅の想定浸水深はどれくらいか。地震が起こったときにはどれくらいの揺れが起きるのか。それらは地域で想定されているのか。こうしたことを知った上で、ハザードが起こったときに、そのハザードにさらされた方のぜい弱性にいかに手を打つのか。福祉における、日々のソリューションに対して、災害というハザードが襲ったときにどうしたらいいかを考えるのであって、仕事の内容、進め方、基本は変わらない。

いざというときに安全なところに逃げることがまず必要だが、それだけでは終わらない。その後、被災後の生活のなかでも、さまざまなことが起こる。そのような状況について理解し、アセスメントする枠組みを、実はすでに福祉専門職の方々は身につけておられるのである。

2 根本問題

二〇一八年七月の西日本豪雨

近年、水害や津波災害、あるいは地震災害のたびに被害が出ている。災害時に、被害がどういった方々に生じるのか。障がいのある方々と、年齢の高い方々に集中している。

記憶に新しい水害に、二〇一八年七月の西日本豪雨がある。このときには、岡山県倉敷市真備町での死者五一人のうち、四二人が避難行動要支援者だった。そのなかに、障がい当事者の立場からNHK Eテレのハートネットに出演されたことのある、Mさん（二七）と娘さんのIちゃん（五）がいらした。このお二人には近所づきあいがなく、当日は携帯電話のSMSでヘルパーなどの支援者に支援を求めたが、避難所の場所がわからず、避難もできなかった。七月七日の午前六時五六分、家のなかに水が入ってきたというメッセージの直後にお二人は亡くなられたとみられる。

倉敷市で真備地区全域に避難勧告が発令されたのは七月六日夜の一〇時だった。しかし、その前段階の避難準備・高齢者等避難開始という災害情報があり、倉敷市では六日の午前一一時半に発令していた[1]。これは「避難の準備を始めてください」という情報ではない。「高齢者や配慮の必要な方は、この時点で避難を始め

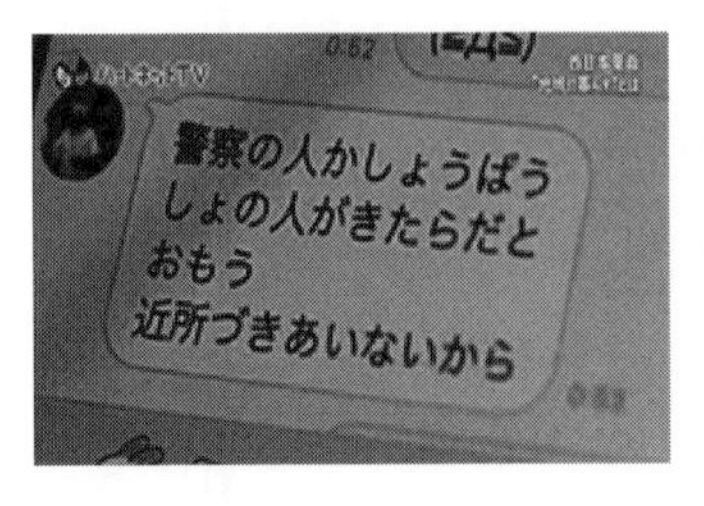

（出典） ETV ハートネット TV（2018年10月30日），NHK News Watch 9（2018年10月5日）。

図1　Mさんが残したメッセージ

てください」という情報である。しかし、福祉の専門職――ケアマネジャーや相談支援専門員、社会福祉士、介護福祉士など――の国家試験では、このような防災の問題は出ない。避難勧告よりももっと前の避難準備・高齢者等避難開始が発令されたときに避難行動を始めるようにうながしていたら、結果は違っていたかもしれない。

災害時に配慮が必要な人々のことを、避難行動要支援者と呼ぶ。災害対策基本法の改正によって、避難行動要支援者の名簿を作成することは、各市町村に義務づけられた。しかし、その名簿を地域に渡しても人手が足りなかったり、あるいは当事者自身の半数近くが、自分たちに関わる個別計画や、避難行動要支援者、福祉避難所について聞いたことがなかったりといったことが起きている。(2)

福祉のサービスを受けながら在宅で暮らせる仕組みが現在では整い、そのなかでMさんとIちゃんは、地域で暮らすことができていた。そのためのさまざまなサービスを利用していたけれども、その利用計画のなかにはいざというときの対策は含まれていなかった。ここにこのお二人が亡くなられた根本的な問題の一つがある。

二一世紀になってからは、水害が多発するようになっている。そのなかで被害を集中的に受けてきているのは、皆さん方の利用者さんたちである。その問題について話を進めていきたい。

高齢化が急速に進む日本

災害時に配慮が必要な方々に被害が集中する、非常に大きな原因がある。私たちの社会が、きわめて多くの年齢の高い方々で構成される社会――超高齢社会――になってきたということだ。

ある時点において、年齢と性別ごとの人口割合をグラフに積み上げて示したものを人口ピラミッドと呼ぶ。

図2は一九七五年の人口ピラミッドである。最上部に注目をしていただきたい。この最上部が示しているの

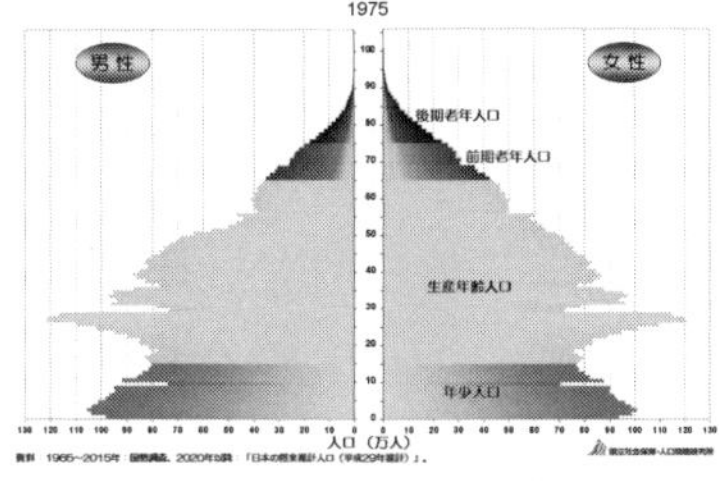

図2　1975年の人口ピラミッド

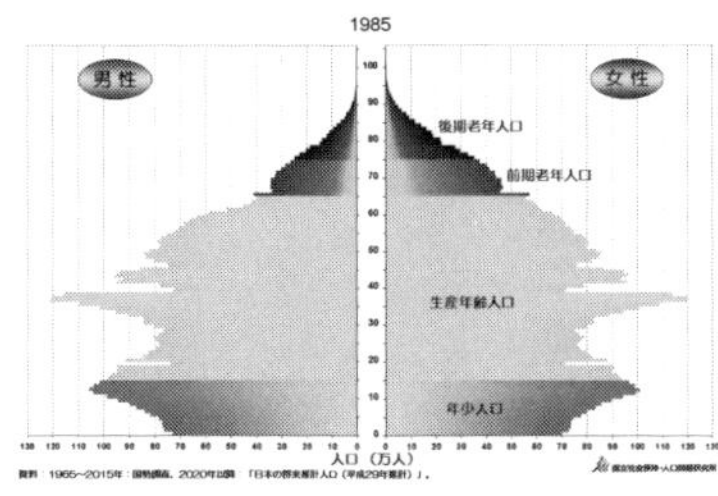

図3　1985年の人口ピラミッド

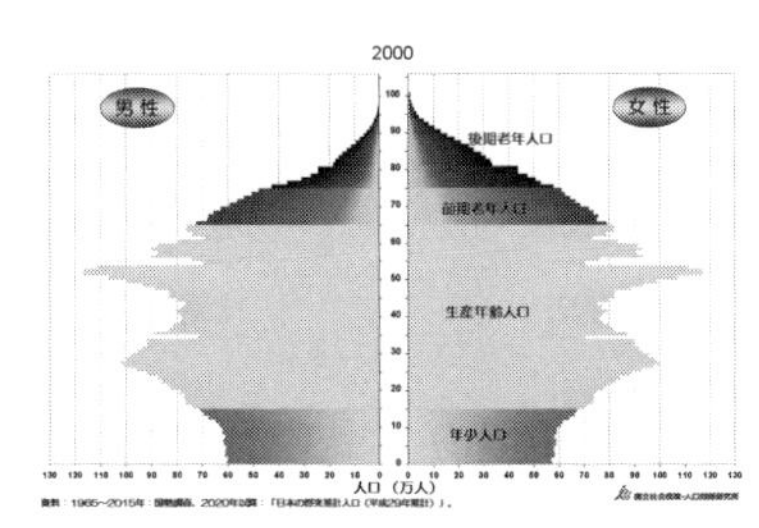

図4　2000年の人口ピラミッド

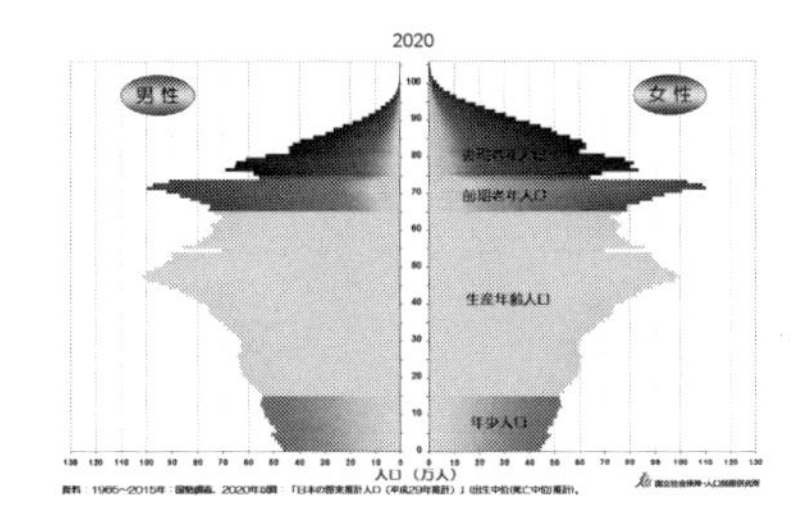

図5　2020年の人口ピラミッド（推計）

は七五歳以上の年齢の方々で、右が女性、左が男性である。**図3**は一〇年後、一九八五年のピラミッドである。一〇年後、最上部が確実に広がった。そして**図4**が二〇〇〇年の人口ピラミッドとなる。この二〇〇〇年は皆さんのお仕事の基盤となる、介護保険制度が始まった年だ。

それまでは、介護は家庭内で行う私的な行為だとみなされてきた。しかし現実には、このように人口構造が高齢化していき、介護の担い手の人口は減っていく。対して、配慮が必要な方々の人口は増えていく。そういったことを見すえ、介護の社会化をめざして二〇〇〇年から公的な介護保険制度が始まった。

次の**図5**に二〇二〇年の人口ピラミッド（推計）を示す。二〇〇〇年からの二〇年の間に、最上部の年齢の高い方々の人口はさらに大きくなった。介護保険制度が始まった二〇〇〇年を基準にすると、要介護認定を受けて在宅のサービスを受けておられる方々の数は三・五倍に増えている。地域密着型の施設も含めて、入所サービスを利用されている方の数は二倍に増えた。福祉専門職の方々によるケアプランの作成を通じて、平時にはそれだけの数の方々が暮らせるような仕組みが実現されたわけだ。

しかし、介護保険の制度設計以来、災害時のことまでを含めることは、考慮されてこなかった。

防災・減災の歴史と災害対策基本法

戦後日本と災害

戦後社会を襲った災害と防災対策の法律の整備という観点から、日本の戦後社会を見ていこう。

図6では災害で亡くなられた人の数を地震・津波災害と気象災害に分類し、棒グラフで表現している。横軸は現代までの時間を示し、縦軸（左側の目盛り）は死者数について小さい数字と大きい数字を同じ目盛りに

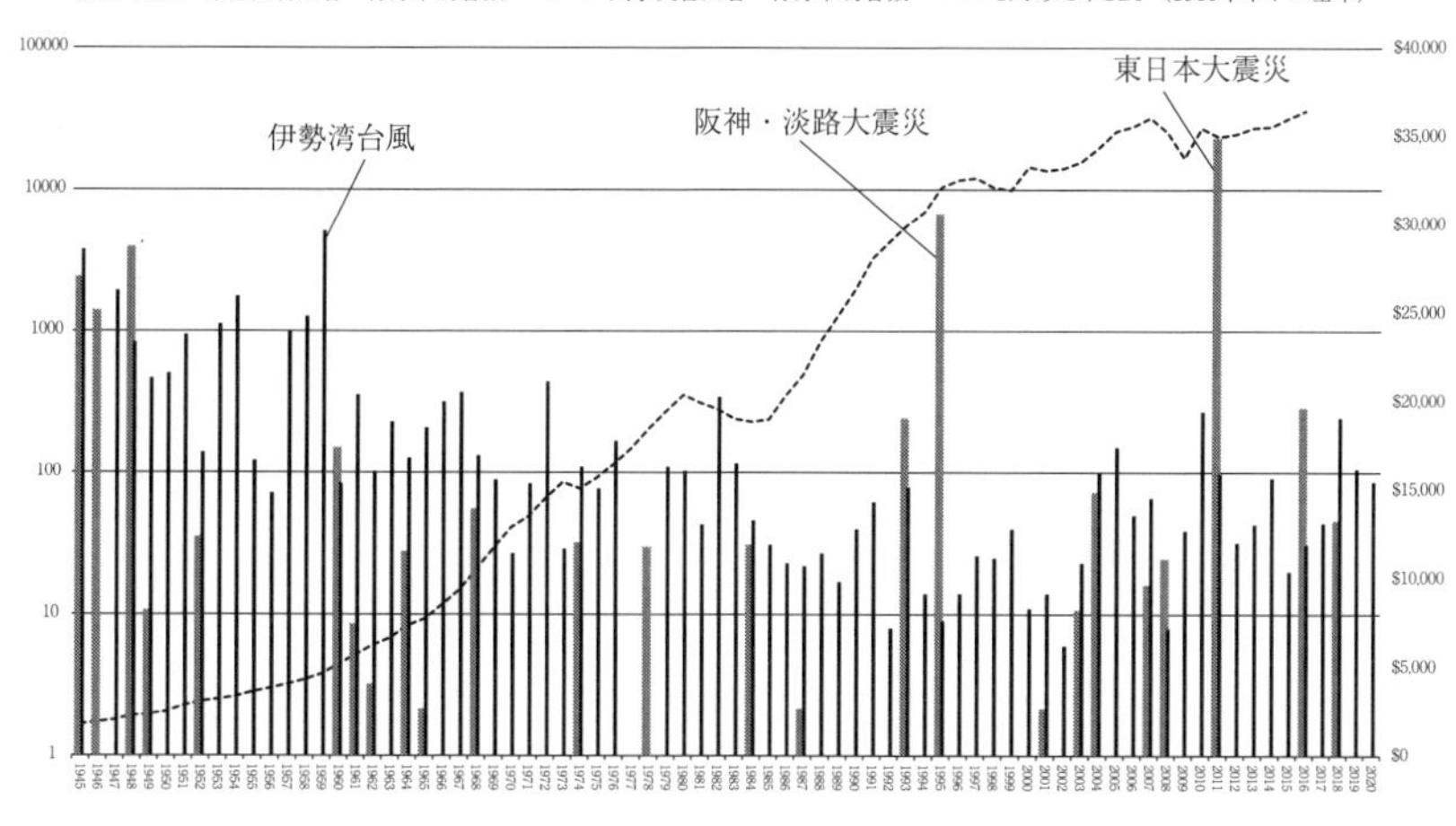

図6　戦後日本における主な自然災害死者数と1人あたりGDPの推移

載せるため、一〇の一乗・二乗・三乗という対数尺度を使っている。こうして見ると、介護保険制度を設計をしていた二〇世紀の終わり近く、一九八〇年後半から九〇年代末にかけては、日本では稀有なほどに風水害で亡くなる方の数が少なかったことがわかる。それが二一世紀になった途端、一〇〇人以上が毎年のように亡くなる風水害が発生している。

図6でわかるように、日本社会で五〇〇〇人以上の死者が出た災害は、実は戦後三つしかない。一九五九年の伊勢湾台風、一九九五年の阪神・淡路大震災、そして二〇一一年の東日本大震災。

日本の防災の制度では常に、何か大きな災害が起きたら、そのときの教訓を基に対策を作ってきた。最初にできたのが、南海地震（一九四六年）を受けて作られた災害救助法（一九四七年）だった。ここでは避難所の運営をどうするのか、被災した自治体の費用を国と都道府県でどのように負担するのかといった取り決めがなされた。

一九五九年の伊勢湾台風は、五〇〇〇人以上の方が亡くなった大災害だった。それを受けて、防災の基本的な法律である災害対策基本法（一九六一年）が制定された。この災害対策基本法後の日本社会では、風水害による死者が劇的に減っている。どんなことをして被害を減らしたのか。

GDPと防災の関係

第一章で見たように、戦後日本ではハザードを小さくする防災、ハザードを力でねじ伏せる防災に力が注がれた。堤防を立派にする、海岸線の防潮堤を高くする。遊水池を造る、ダムを建設する。どれも費用のかかる事業である。その原資はどこから来たのか。**図6**の折れ線グラフは、一人あたりのGDP（目盛りは右軸）を示している。GDPは国の経済水準、すなわち国がどれくらい豊かになったかを反映するものだ。日本のいわば国富、一人あたりのGDPは一九六〇年代の高度経済成長期を通じて右肩あがりである。その富はさまざまなかたちで産業にも投資されていくとともに、公共事業としての防災に非常に大きなお金が注ぎこまれていった。結果として、風水害で人が亡くならない社会になった。同じだけのハザードにさらされても、堤防の整備や下水道の整備などを通して、水が上がってこない社会を私たちの社会は作り上げた。

日本はなぜこのような防災対策を取っていけたのだろうか。伊勢湾台風が起こったころの日本の一人あたりGDPは、五〇〇〇ドル程度である。災害救助法の時点ではそれよりもはるかに少なかった。この時期の日本はきわめて貧しい社会だった。だから絶対的な平等が何より求められた。その後、一九六〇年代を通じて経済の高度成長があり、土木事業主体の防災対策の原資である税金も右肩あがりに増えていった。これが功を奏して、風水害で犠牲になる人の数は逆に右肩さがりに減っていった。

このようにして、阪神・淡路大震災までの日本では、土木による防災が大成功を収めていた。そして、伊勢湾台風の次に五〇〇〇人以上が亡くなられた災害が、阪神・淡路大震災である。このときの一人あたりGDPは三万ドルを超え、さらに東日本大震災時の一人あたりGDPは三万五〇〇〇ドル近くにまで増えている。東日本大震災を受けて、二〇一三年に災害対策基本法が大幅に改正された。一人あたりGDPが五〇〇〇ドルの時代の防災ではなく、三万五〇〇〇ドル前後になったときの日本社会の防災では、一体何に目をつけなければならないのか。災害救助法の時代からすると七倍のはるかに豊かな富を手に入れた社会で、防災はどうあるべきか。そういったことが議論された。

災害対策基本法の改正（二〇一三年）

ここからは福祉関係者にとって他人事ではなくなる世界になる。二〇一三年の災害対策基本法の改正は、戦後と比べて、大幅に被災者支援の内容や質が変わるということを受けた改正なのである。そのなかで防災は何に注目しないといけないか。一人あたりGDPが五〇〇〇ドルの時代は絶対的な平等が何より大事だった。けれども、三万ドルの時代では、個々人の特性に配慮し、健康や居所への配慮をし、情報提供や相談業務をする、そういったことが防災なのだ、という視点に変化してきたのである。土木が防災だった時代から、福祉こそが防災である時代。個別の配慮を提供することが防災だというふうに、法律も大きく変わったのである。

表1　東日本大震災における全体死亡率と障がい者死亡率の比較（県別）

県	全体			障害者手帳交付者		
	被災地人口	死者	死亡率	被災地人口	死者	死亡率
岩手小計	205,437	5,722	2.8%	12,178	429	3.5%
宮城小計	946,593	10,437	1.1%	43,095	1,099	2.6%
福島小計	522,155	2,670	0.5%	31,230	130	0.4%
総計	1,674,185	18,829	1.1%	86,503	1,658	1.9%

（出所）NHK Ｅテレ「福祉ネットワーク」および「ハートネットＴＶ」取材班の調べ。2012年9月5日現在。

高齢者・障がい者と東日本大震災

障害者手帳交付者の被害

平時の福祉サービスと災害時の要援護者対応の分断が、より深刻なかたちで表面化したのが東日本大震災だった。

表1の左側は、東日本大震災時に警察庁が公表した津波による直接死者数である。亡くなられた方の総数を被災地の人口で割ると、死亡率が算出できる。東日本大震災では一〇〇人に一人の方の命が奪われた。加えてこの東日本大震災は、障害者手帳をお持ちの方が何人亡くなられたのかが判明した初めての災害である。

一〇人以上死者が出た市町村ごとに、障害者手帳をお持ちの方が何人亡くなられたのか、その市町村ではそもそも障害者手帳が何人に交付されていたかということを問い合わせ、それを足し合わせたものが**表1**の右半分である。すると、障害者手帳交付者では、一〇〇人に二人の方が亡くなられていた。

つまり被災地のなかで、全体の死亡率は一〇〇人に一人に対して、障害者手帳をお持ちの方の死亡率は二倍だった。トータルで見るとそうなるが、三県全てでそうだったのかというと、実は違う。

三県のなかの一番下の福島県では、全体の死亡率の〇・五%に対して障害者手帳をお持ちの方の死亡率は〇・四%と、むしろ少ないくらいである。岩手県では、全体死亡率一・八%に対して障害者手帳をお持ちの方の死亡率は三・五%。全体に対して一・三倍程度だった。全てを足し合わせたときに、障害者手帳をお持ちの方の死亡率が全体死亡率に対して二倍になる理由は、ひとえに宮城県の事情によっている。

宮城県における被害の特徴と、その理由

宮城県でのみ、全体の死亡率一・一%に対して、障害者手帳交付者の死亡率は二・六%だった。つまり全体死亡率の二・三倍にあたる障がいのある方々が、宮城県でだけ突出して被害に遭っていたことが、このデータから見えてくる。さらに細かい検討を行うために、一〇名以上の被害が出た東北三県の被災三一市町村について横軸に全体死亡率、縦軸にその市町村の障害者手帳をお持ちの方の死亡率を取り、三県それぞれに回帰直線を引いたものが**図7**である。この三本の直線は、それぞれ岩手、宮城、福島における市町村ごとの全体死亡率と、障害者手帳交付者の死亡率の関係（全体死亡率にどの程度の係数を掛けると障がいのある方の死亡率が推定できるか）を要約したものになっている。

宮城県でのみ傾きが倍近くになっている（全体死亡率を約二倍すると障がいのある方の死亡率が推定される）。市町村単位の分析を行うことにより、各県の個別の状況がここで浮かび上がっている。なぜ障がいのある方の死亡格差（直線の傾き）が宮城県でだけ突出していたのかというと、二つの理由が考えられる。

一つは、在宅で暮らしておられる障がいのある人の割合が、三県できわめて違っていた点だ。

図8のグラフは、三県における重度の身体障がいをお持ちの方で、そのうち施設に入所されておられた方

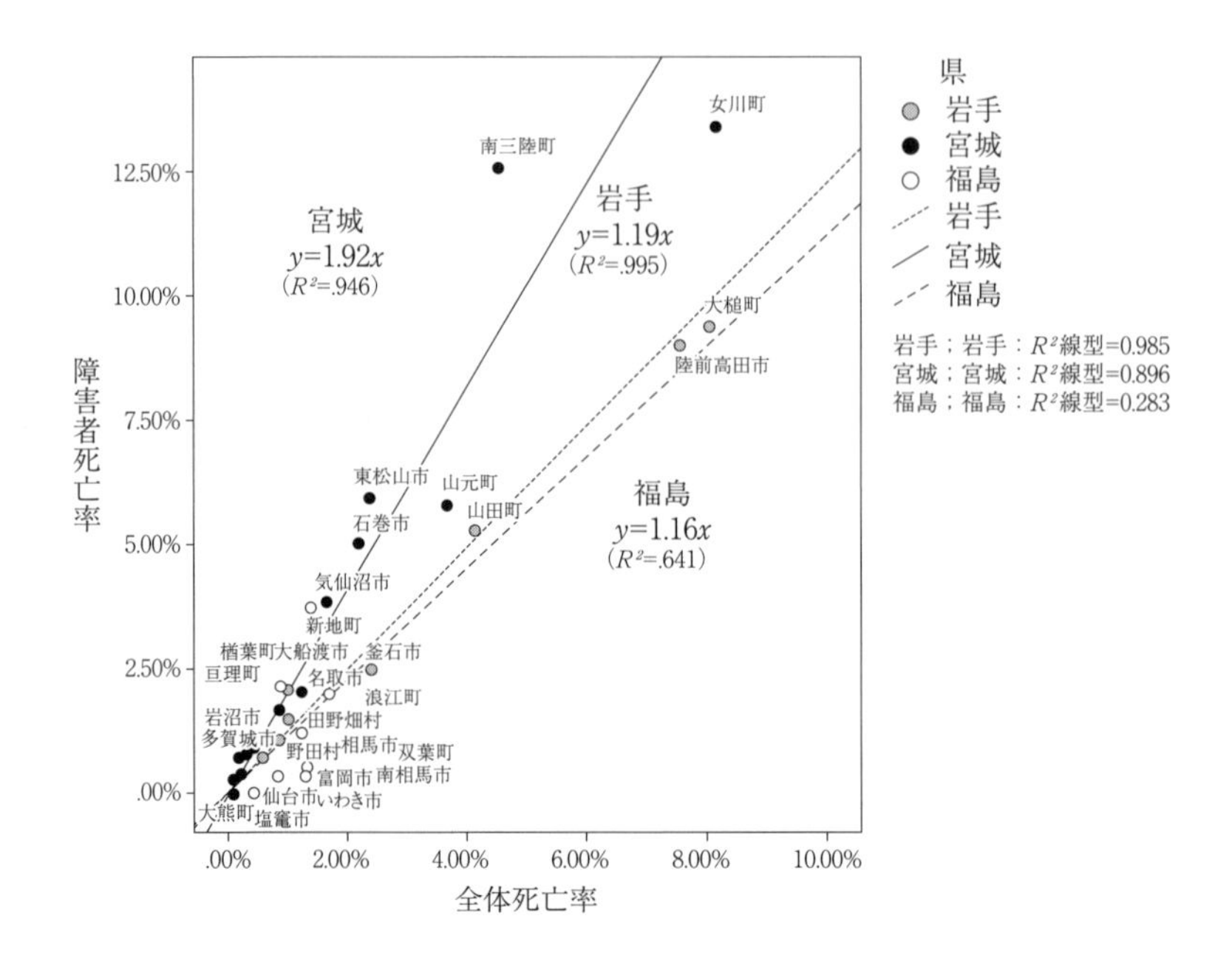

図7　東日本大震災における全体死亡率と障がい者死亡率の比較

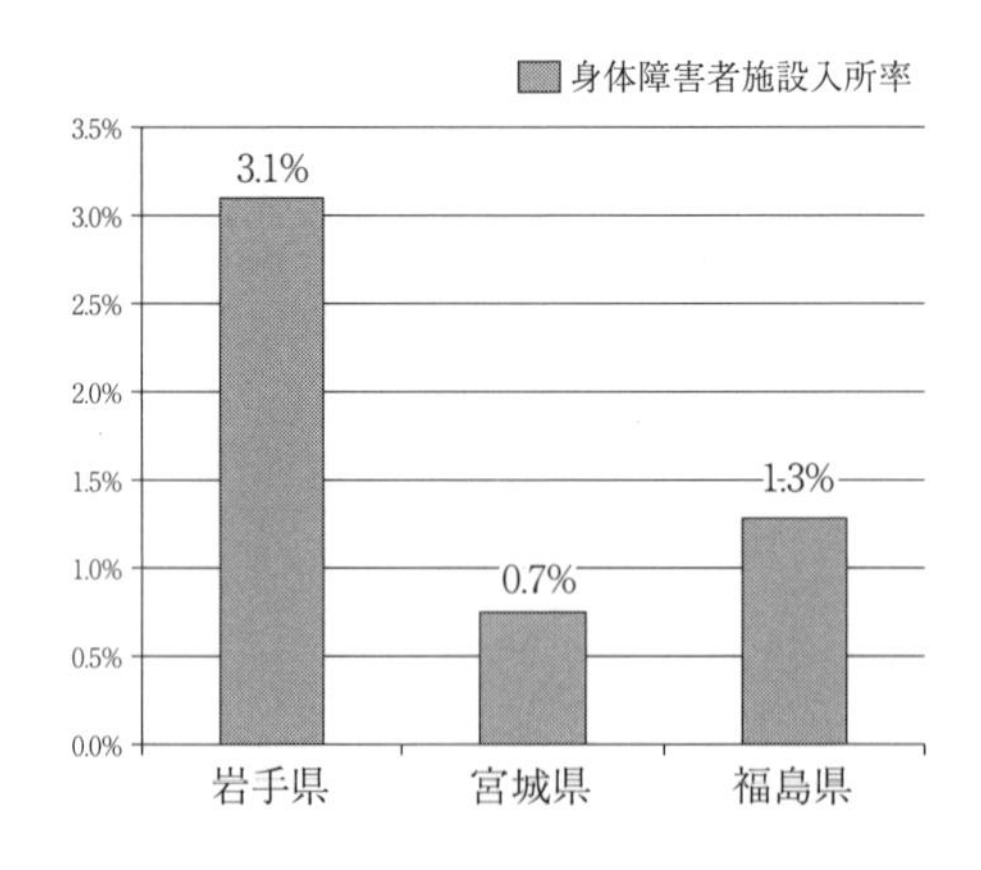

図8　東北3県の重度身体障がい者の施設入所率の比較

の割合を比較したものである。宮城県では、施設入所者が圧倒的に少なかった。

それでは、どこで暮らしておられたのか。在宅である。宮城県では、福祉のまちづくりのサービスが進んでおり、在宅で暮らせる環境が整っていた。けれども、この福祉のまちづくり――ノーマライゼーション施策――は、災害時にどうするのかとは連動していなかった。そのために在宅で暮らしていた多くの障がい者が集中的に被害に遭った。

一つ目の根本問題――平時と災害時の対応策が縦割り

ここから、どういうことが見えてくるのか。

平時の福祉のまちづくり、あるいは福祉専門職の文脈でいうならば地域包括ケアの仕組み、このなかで在宅でなるべく暮らせるようなサービスメニューを整えていくことは、今、一段と進められている。

一方、災害のときはどうするのか。地域のなかで、防災部局や危機管理部局が自治会・町内会長などに名簿を渡し、自治会・町内会さんなりに頑張って個別支援計画を作ってください、というような取り組みをしている。これを絵にすると、**図9**のような感じになる。私たちの社会は、基本的に縦割りで物事を進めている。図ではタコツボが縦割りのイメージで、真ん中のタコツボのように、そのなかで完結する仕事ならば、そのままやっていただければいい。

平時に配慮が必要な方々のサービスは、左側の福祉のタコツボで取り組んでいる。地域包括ケアシステムという名前で呼んでいるものがそれだ。障がい者や要介護者が、なるべく在宅で暮らせるようなサービスをコーディネートする。皆さんがなさっているお仕事がこれだ。

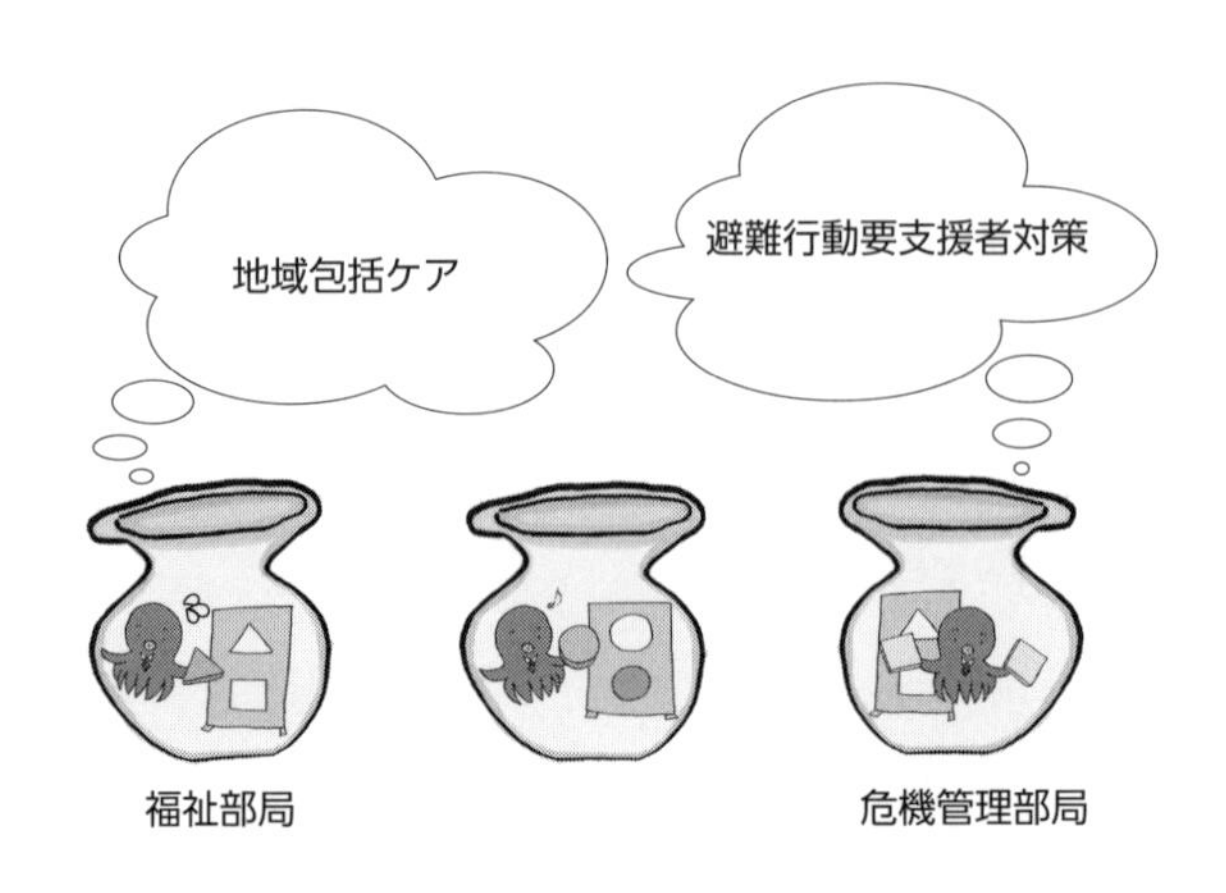

図9　根本原因1——平時と災害時の対応策が縦割り

一方で、右側の防災のタコツボでは、避難行動要支援者のリストを自治会の方に渡し、地域で支援者をリクルートして、配慮が必要な人とつないでください、という取り組みが行われている。

深刻な問題は、この二つの取り組みが連結していない点にある。横断で解かなければいけない問題に対し、それぞれの取り組みがそれぞれのタコツボのなかで最適化されて進められていて、連結していない。地域包括ケアで、在宅で暮らす配慮が必要な人を増やす一方で、いざというときについては、それは防災の方でやるから、となっている。

宮城県で起こったことが、まさにこれである。在宅での福祉の制度の整備が、防災危機管理の取り組みと連結をしていないと、災害リスクを高めることになっていた。結果的に、平時の福祉が災害時のぜい弱性を高めていたというのが、一つ目の根本問題だ。

二つの目の根本原因——施設の立地

そしてもう一つの理由がある。高齢者向け施設に入所中に被災された方の割合が、三県で違っている。東北地方ではとりわけ、高齢になればなるほど、介護保険の申請時に障害者手帳も合わせて申請する割合が高い。そういったなかで、入所施設の入所者が被害を受ける割合も、宮城県が非常に高かった（**図10**）。

なぜなのか。大変残念で悲しいことに、社会福祉施設、あるいは高齢者向けの施設が全般的にどんなところに建っているかという立地の問題がある。こういった施設は、どうしても安い地価のところに建ってしまう。そして地価の安いところは、危険な場所が多い。宮城県では、景観の良い——しかし津波ハザードに対してぜい弱な——海辺に建てられていることが多かった。日本社会の現状の枠組みのなかでは、〈地価が安い、でも危険〉という価値と、〈地価が高い、でも安全〉という価値、どちらに価値を置くのかというと、〈安い、でも危険〉の方に傾く。とりわけ水害に関しては、災害危険区域の指定がまだ、ほとんど行われていないのが実情である。

土砂災害警戒区域あるいは津波の特別警戒区域については、二年後に施行される改正都市計画法で、ここは危険な場所だから福祉施設を

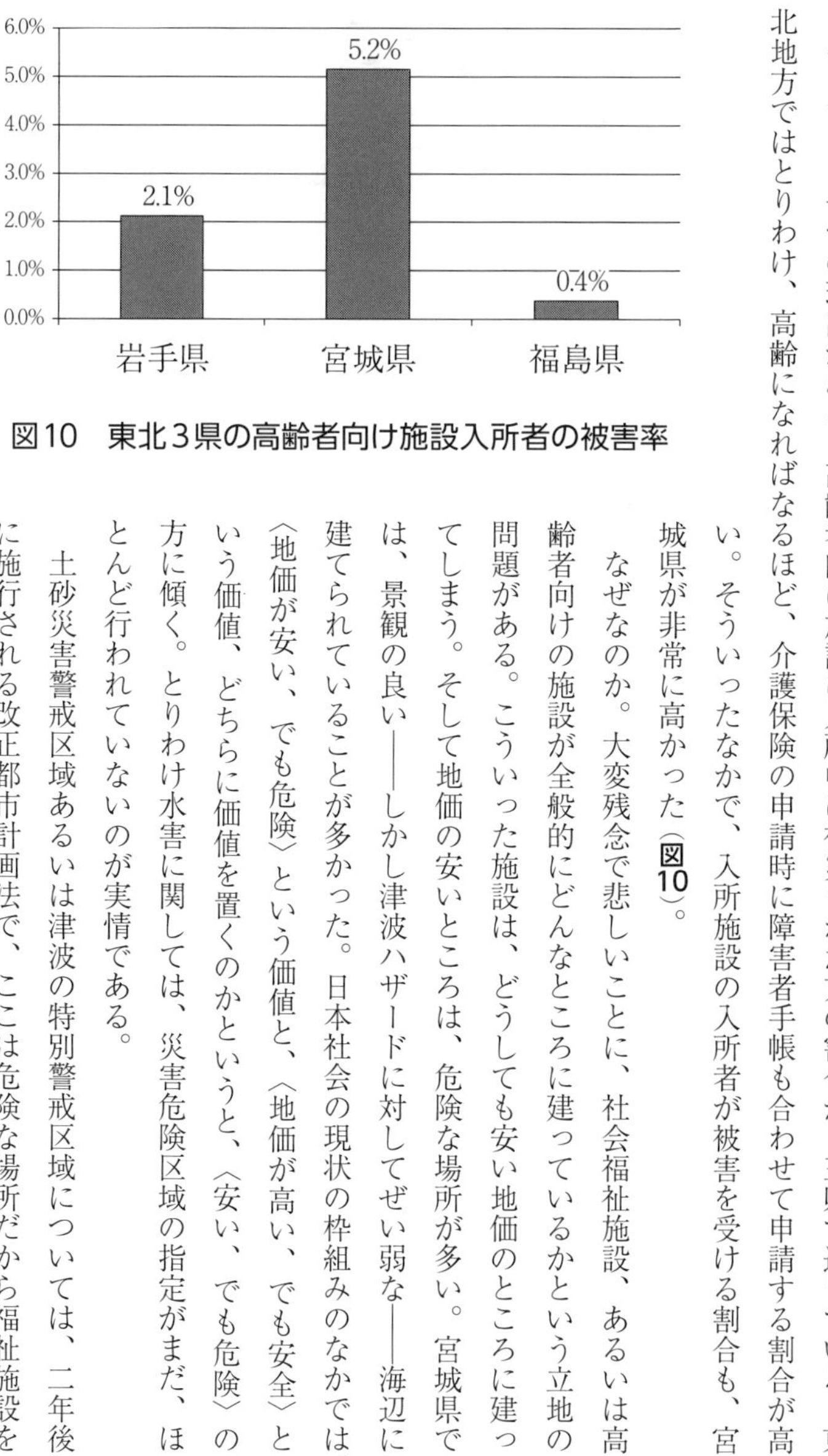

図10　東北３県の高齢者向け施設入所者の被害率

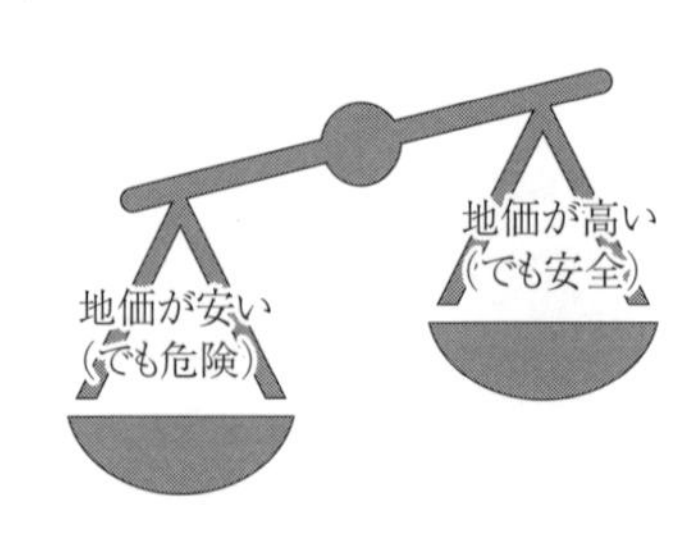

図11　根本原因2——危険な場所に施設が立地

建てるのはダメですという判断が地方自治体によって行われ、立地規制がちゃんとできるようになる。けれども、水害に関しては一切そういう取り組みは始まっていない。

二〇〇〇年に介護保険制度が始まってから現在までの二〇年間で建てられたさまざまな入所者向けの施設は、ほとんどが災害危険区域といっていいようなところに立地してしまっている。このような問題についても根本的な対策をしていかなければいけない。

これまでの話をまとめよう。二〇〇〇年から介護保険制度が始まった。このときの高齢化率は一七・四%で「高齢社会」(高齢化率が一四%以上と定義される)にすでに達していた。それから二〇年後の二〇二〇年の高齢化率(推定値)は二八・九%で、日本は「超高齢社会」(高齢化率二一%以上)になった。このような人口構造の激変に備えて、家庭内介護から社会的介護へと大きくケアや家族のありようを変容させたのが介護保険制度やその後の障害者総合支援法といった社会福祉制度だった。

ところが、**図6**の戦後日本における主な自然災害死者と一人あたりGDPの推移を見ると、介護保険制度の検討や設計を行った一九八〇年代後半から九〇年代は、戦後日本の災害史上、洪水や土砂災害といった気象災害による死者が希有なほどに少ない時代であった。このため、制度設計の時点では平時のケアだけに集中して、最適な解を導き出せばよかったのである。

ところが二一世紀になり、日本列島は気象災害でほぼ毎年のように被害が発生するようになった。災害をもたらす二つの要因のうちのハザード要因が激しくなってきた。さらに、平時の地域包括ケアだけに最適化してきたこれまでの福祉サービスは、いざというときの防災・危機管理の仕組みとは分断されてきた。平時と災害時の対応の分断が、障がいのある方や年齢の高い方々の災害ぜい弱性をさらに高める事態を招いた。

根本的な解決は、平時と災害時の取り組みを縦割りのままにするのではなく、両者を連結することにある。そして、このときに鍵になるのが、福祉の専門職の方々になる。その詳しい話しを次章以降で進めよう。

《コラム》 新型コロナウイルス蔓延下の要配慮者対応

NHK大阪　関西ラジオワイド〔防災コラム〕　放送日：二〇二〇年四月九日（木）

アナウンサー　では、続いて防災コラムです。今日の担当は同志社大学教授の立木茂雄さんです。立木先生の専門は、災害を社会学的に研究すること、特に人と人のつながりのなかに防災の鍵を求めて研究を続けていらっしゃいます。今日のテーマは、「福祉専門職の人たち共に進める誰一人取り残さない防災」というテーマです。立木先生、よろしくお願いします。

アナウンサー2　よろしくお願いします。

立木　はい。よろしくお願いいたします。

アナウンサー　先生にお話を伺うと必ず出てくるキーワードが、「誰一人取り残さない」。この「誰一人」というのは、具体的にどういう方々を指すのでしょうか。

立木　年齢の高い方であるとか障害のある方、あるいは乳幼児、外国人、いざというときに配慮が必要な人たち。今の日本の枠組みのなかでは「要配慮者」という言葉で呼ばれている人たちですね。

アナウンサー　かつて東日本大震災のときにも、実際に大変な被害に遭われた皆さん、やはり高齢者や障害者の方たちの割合が非常に高いというデータがありますよね。

立木　はい。そういったことで準備をしていたのですけれども、今、緊急事態宣言が発令されて、コロナウイルスが社会でこれから非常に大きな問題になってくるなかで、要配慮者の人たちへの対策をどう考えたらいいのだろうかという、ちょっと今日のために深掘りしたような話を準備してきたので、そのことについてお話できればなと考えています。

アナウンサー　わかりました。お願いします。

立木　今、蔓延していますコロナウイルス、正式名称は二〇一九年のコロナウイルス疾病パンデミックというふうにいわれておりまして、ＣＯＶＩＤ－１９といわれているのですけれども。

アナウンサー　よく外国の英文のニュース記事では、その言葉を使っていますね。

立木　そうですね。はい。このＣＯＶＩＤ－１９というのは二〇一九年に発生したという意味なのですが、そのちょうど一〇〇年前、一九一八年に現在と同じようなインフルエンザの大流行があったのですね。現在でも、三密と呼ばれているような対策だとか、接触を八割減らすとか、外出は一日一回程度というような、社会的距離を置くことが基本で、これが唯一の対策として取られているのですけれども、一〇〇年前の一九一八年から広まったスペイン風邪のときにも、基本は同じ対策を取ったのですね。

アナウンサー　おお。はい。

立木　スペイン風邪と呼ばれていますけれども、このときに世界の人口の約三割が感染して、二〇〇〇万～四五〇〇万人ぐらいが亡くなったといわれています。グローバル化というのがこのときの一番のきっかけなのですね。元々、スペイン風邪といわれていますけれども、現在のところ、どこで発生が最初に確認されたかというと、アメリカ・カンザス州の陸軍基地の兵営だったといわれています。このときに、直前にアメリカの艦船がドイツ軍の潜水艦によって撃沈されたために、アメリカが第一次世界大戦に参戦することになりました。そして、その米国の兵士たちが欧州に持ちこんだ、そして広がっていったというのが実際のところなのですね。ですが、欧州で中立国であったスペインでは、戦時の報道管制が敷かれていなかったので、スペインの報道機関から世界に発信された。

アナウンサー　ああ、なるほど。

アナウンサー2　ああ、そういうことなのですね。

立木　はい。そういう形から、スペイン風邪というふうにいわれるようになった。

そのスペイン風邪は日本にはどうやって持ちこまれたかというと、台湾に相撲巡業に行った力士の方々三名が肺炎で死亡した。そして、横須賀港の軍港に停泊中の軍艦で患者が発生し、横須賀・横浜から日本全国に広がっていたのですね。その当時、マスコミでは流行性感冒という言葉が使われて、今でも耳にする言葉ですが。

アナウンサー　そうですね。

立木　それはスペイン風邪のときに広がった言葉なのですね。どれぐらいの方々が被害を受けたのかというと、当時、いわゆる内地といわれていた日本列島にお住まいの方が五六〇〇万人ぐらいおられたのですけれども、〇・八％に当たる約四五万人が死亡したと推定されています。

当時は外地、つまり日本の統治下にあった地域のうち、朝鮮半島と台湾については数字が大体推定されています。朝鮮半島には当時一七三〇万人の方々がおられて、そのうちの一・四％、二三万人ぐらいが亡くなられました。台湾では三六五万人ぐらいおられて、そのうちの一・三％、約五万人が亡くなられました。結局、当時の日本の範域のなかに暮らしていた人たち七七〇〇万人のうちの約一％程度、七四万人が命を失ったという、ものすごい大災害だったのですね。

このなかで、地域差というのが、やはり注目をしなければいけないことです。まず、最初に申しあげたように、内地の死亡率というのは〇・八％だったのですが、外地では、朝鮮半島ではその一・八倍の一・四％の死亡率、台湾では一・六倍の一・三％の死亡率でした。結局、内地と比べて外地では医療機関などへのアクセスというのでしょうか、どれだけお医者さんに診てもらえるかというところで違いがあり、そのために死亡率が高くなったのだというふうに考えられる。

それから、今度は全体を見たときに、年齢別で見てどういう年齢の人たちがたくさん割合として亡くなったのか。これは乳幼児と、それから二〇代、三〇代の働き盛りの若い人たちに分かれるのですね。地域別では、とりわけ西日本、京都・大阪・神戸の重工業地帯で深刻な問題になりました。

アナウンサー　なるほど。

立木　たとえば、大阪の天王寺には一心寺というお寺がありますけれども、そこには流行性感冒で亡くなられた方の慰霊碑が建っています。大阪の人口が当時二七五万人いたのですけれども、一万一〇〇〇人が亡くなっているのですね。

アナウンサー　すごい割合ですね。

立木　はい。それから、このラジオを聞いている方、リスナーの方は神戸にもいらっしゃいますが、神戸には当時、夢野と春日野に二カ所の火葬場があったのですけれども、それぞれ一〇〇体以上の棺桶が放置されたままになった。処理能力を超えていたためということなのですね。とんでもない数の方々が感染して命を落としたのですが、ではどう対処したのか。当時の内務省に「流行性感冒予防心得」というのが記録されていて、どうしたらいいのかということで対策が三つ、内務省から出ています。病人、病人らしい人、咳をする人には近寄らないようにする。これが第一。第二は、たくさんの人の集まっている所には行かない。第三、人の集まっている場所（電車、汽車など）のなかでは必ずマスクをかけ、あるいは、どうしようもなくなったらハンカチで手を拭う。今と全く同じ三密を対策として提唱していて、それがずっと引き継がれてきたということなのですね。

結局、年齢で見たときに、多く亡くなった層が二〇代、三〇代ですが、三密を守らなかった体力のある人たちが、外出を続けて亡くなったということが分かります。

アナウンサー　なるほど。

立木　ただ、当時とそれから一〇〇年後の現在との違いは、日本社会の全体のありようが、まるで違っているということがあります。当時、一九一八年の時点では、日本の人口の構造といって、年齢刻みでどれぐらいの方々が人口としてあるのかを人口のピラミッドというふうにいったりしますけれども、その人口のピラミッドは底辺の部分が非常に大きくて、年齢が上になるにつれて少なくなる、本当にピラミッドの形をしていました。

アナウンサー　なるほど。今と違って高齢化社会ではなかったわけですね。

立木　そうなのですね。実は近代化が起こる以前ですから、ピラミッド型になる。どうしてかというと、医療やそういった情報がまだ社会に広く行き届いていない時代は、社会防衛上、女性はたくさん子どもを産む必要があった。そうしないと乳幼児の死亡率が高いために子どもが生き延びることができない。いわゆる多産多死の社会だったのですね。そのピラミッドの一番底辺の乳幼児層が一番多くて、この子どもたちが亡くなった。これが当時です。

現在はというと、今おっしゃったように人口の構造は逆ピラミッドになっていて、現代では免疫力が低い、そして逆ピラミッドの上辺におられる七五歳以上の方々が一番ぜい弱になる。

アナウンサー　なるほど。そうしますと先生、一〇〇年前と全く逆になっているといっても、過言ではないような状況になっているわけですね。

立木　そうなのですね。そのなかで、ではどうやってこういうぜい弱な層の人たちの命を守るかというと、そこは一〇〇年前と違って、現代の日本社会では介護保険制度というものが維持されています。これは二〇〇〇年から始まったのですけれども、二〇〇〇年から現代の二〇二〇年まで、介護保険の居宅介護支援サービス、いわゆるデイサービスであるとかヘルパーさんが自宅に来てくれるとか、そういったサービスを受けて暮らしておられる方の数が、二〇年で三・五倍になったのですね。あるいは、グループホームと呼ばれているような地域密着型の施設や、あるいは高齢者向けの特別養護老人ホームに入所されている方も、二倍になっています。実は非常に多くの方が介護保険サービスを使って在宅で暮らしておられるわけです。

私の九六歳になりました母親も、このような地域密着型のグループホームで暮らしているのですけれども、一カ月前からもう面会ができなくなっています。

アナウンサー　なるほど。

立木　対策を非常に早くから取っているのですね。何より、今、要配慮者の方々、とりわけ免疫力の低い年齢の高い方々に対して何をする必要があるか。それは、福祉であるとか看護であるとか介護の、こういう事業所の業務をいかに継続させていくのかというのが、一番大事な問題点であるのだと考えています。こういう福祉関係、介護関係の事業所のなかでの業務の継続、一般にＢＣＰと呼ばれたりしているのですけれども、その基本は、その事業所で決して止めてはいけないサービスをまず絞り込む。そして、かぎられた人員や資源を使いながら、どうやってそのサービスを最低限度でもいいから続けられるのかということを考えることなのですね。そうすると、提供するサービスを絞りこんだり、利用していただく対象者を何らかの基準で絞りこんだり、あるいは対応する職員や外出していくヘルパーさん、ケアマネジャーさんの安全対策をどんなふうに綿密に取るのか。こういったことが今、一番問われていることだと思うのですね。

私たち防災の研究者といいますと、基本は、これまで災害が起こってから現地に行って、そこから教訓を学び取ってくるということが一番得意なやり方なのですけれども、逆にいいますと、まだ起こっていない、あるいは今まで起こっていなかったことが現在進行形の場合にどうしたらいいのかということについては、今すぐに的確なアドバイスを出せるほどには、われわれの業界というのはそれほど進歩していません。ですからこれから、コロナウイルスの問題が沈静化していってから、今現在進行中でどんなグッドプラクティスというのでしょうか、素晴らしい事業継続が現場の事業所で行われていたのかというのを丹念に調査していく。こういったことが、まずはしなければいけないことだと思います。でも、基本は一〇〇年前のスペイン風邪と、対策は一緒なのだということですね。

アナウンサー　なるほど。

立木　最後なのですけれども、もう一つ考えておかないといけないこと。一九一八年から一九二〇年ぐらいまでの間に流行したスペイン風邪ですが、これとまさにかすめるような形で自然災害が起こっているのですね。たとえば一九〇六年、つまりスペイン風邪が流行する一二年前にはサンフランシスコ大地震というのが起こって、一〇〇〇名ぐらいの方々が亡くなられました。それから、スペイン風邪の第一波から五年後、一九二三年には関東大震災が起こって、一〇万五〇〇〇人の方が亡くなられました。

アナウンサー　なるほど。

立木　万が一、今コロナウイルスが蔓延しているなかで自然災害が、地震災害であるとかあるいは気象災害が起こったら、大変な複合災害になります。これについて、防災を研究する、あるいは実務をしているわれわれの仲間たちは、どうしたらよいのかについて全く備えを検討していませんでした。こういったことも、これから手探りで考えていかなければいけない。そんなことが今の課題になっていると思うのですね。

アナウンサー　なるほど。そのときに、先生がいつもおっしゃる弱い立場の人、高齢者や障がい者を取り残さないために、では何ができるのだろうかということは、ますます今の人口構造、世代構造でいきますと重要になってきますね。

立木　そうなのですね。そして、このことで改めて気づかされたのは、そもそもなぜ災害のときに年齢の高い方、あるいは要配慮とされている方々に被害が集中するのかというと、その背景には、介護保険制度のような、平時のときに在宅で暮らしていただける仕組みが整ったから、それ故に災害時には専門職の人たちが自宅までお迎えに行ったり、あるいはサービスを提供したりすることができなくなる。そのときにどうやって事業を継続するのかという問題なのだということで、実はコロナウイルスで今対応していることと事業をどうやって継続するのか、つまりサービスをどうやって継続するのかというのは、同じ根っこの問題なのだということに気づかされるわけです。

アナウンサー　なるほど。今の状況が、コロナウイルスの被害が広がっている今が仮に災害時だという仮定で、物事を考えていく必要があるということですね。

立木　そうです。その発生する根本原因は、私たちの社会の社会保障や社会福祉サービスが整って、在宅で暮らせる仕組みができた故である。なのに、その平時の仕組みのなかでは災害時にどうしたらよいのかということは、これまでちゃんと考えられてこなかった。そこにこの問題の根本的な課題というのが横たわっているのだなということを気づかせてくれたのが、今回のコロナウイルスの問題だと思います。

アナウンサー　なるほど。二〇〇〇年以降に着々と積み上げてきたその制度が、先生、いってみれば、今、初めてぶち当たる大きな壁にぶち当たっている状態だということですね。

立木　そうですね。

アナウンサー　従って、それを解決していくための発想、そして平時と災害時の区別もなかなか、そうしますと先生、コロナウイルスのような状況のとき、どう平時を保つのかということでいいますと、なかなかその線引きも難しいといいましょうか。

立木　してはいけないのです。線引きをしてはいけない。

アナウンサー　そうですよね。

立木　平時といざというときは連続しているというふうに考えないといけない。そして基本は、福祉サービスをいかにして継続させるのか。業務の継続が、今回の場合も、あるいは災害の場合も一番肝になる課題だというふうに思い至るようになりました。

アナウンサー　なるほど。そうですね。私たち報道機関もやはり、恐らく今後取材していく上においてその発想は必要でしょうし、そういった専門の方々からの声というのもどんどん拾っていく必要があるなと、今日、お話を伺っていて感じましたね。

立木　はい。ぜひそうしていただきたいと思います。

アナウンサー　わかりました。

立木　私たちも専門家として実はよくわからないことなので、これから一生懸命事実を拾っていくのですけれども、ぜひ一緒になって、どんな進んだ対策が取られていたのかという先進的な事例を、一生懸命学ばせていただきたいと思っております。

アナウンサー　わかりました。先生にはまた今年度もこのコーナーでお世話になりますので、次回また先生、この続編を、そのときコロナが今よりも落ち着いていて、今日先生がお話しくださったような課題に人々の目が向くような状況になって、世の中が動くようなきっかけがありましたら、またぜひお話をお願いしたいと思っています。

立木　はい。どうもありがとうございました。

アナウンサー　ありがとうございました。

アナウンサー2　ありがとうございました。

アナウンサー　防災コラム、同志社大学教授の立木茂雄さんでした。

《コラム》 高齢者の事前避難徹底を——施設の移転誘導も

共同通信　視標「九州豪雨」配信日：二〇二〇年七月一三日（月）

九州豪雨では熊本県球磨村の特別養護老人ホーム「千寿園」で多くの犠牲者が出た。大雨、台風によって高齢者が入る施設の被害は繰り返し起きている。たとえば、二〇〇九年には山口県防府市で土石流が発生し特養の入居者が死亡、一六年には岩手県岩泉町の高齢者施設が浸水し入所者全員が亡くなっている。

国は岩泉町の経験から水防法を改正、特養や病院などに避難先、移送手段などを定めた避難確保計画の作成、訓練の実施を義務づけた。一月時点で四五％が策定済みだ。

千寿園でも計画を作り訓練も行ってきた。それでも被害が起きたことについては、検証が必要だろう。いえることは、球磨村が警戒レベル３の「避難準備・高齢者等避難開始」を発令した段階で避難を始めていれば少しは軽減されたのではないか。

一般的には「逃げたけれども、結局浸水しなかった」といった空振りを恐れたり、「避難して体調を崩す人が出るかもしれない」と懸念したりして、「避難しない」ことでより危険な状況に陥ってしまう。

危機感を持って避難行動を始めるためには「防災リテラシー」を高める必要がある。つまり、ハザードマップを日頃から確認して脅威を理解する。被害を避けるために各自がするべきことを自覚し、繰り返しの訓練で避難支援の自信をつける。施設管理者らがこれらを実践することを通じて、災害情報を主体的に読み解き、迅速な行動につなげられるように備えるのである。

さらに、避難確保計画のなかに、レベル１（気象情報確認など）、２（避難先との連絡など）、３（避難行動開始）

の各タイミングで誰が何をするのかといった段取りを時系列で示し計画に実効性を持たせる。これによって、事前の避難を徹底できるようになるはずだ。

今回の豪雨災害で亡くなった方の多くが六五歳以上の年齢の高い方々だった。東日本大震災の被害を分析すると、在宅ケアが広がっている地域ほど亡くなった年齢の高い方や障がいのある方の割合が高かった。一八年の西日本豪雨の際には、岡山県倉敷市真備町でも逃げ遅れて自宅で亡くなった高齢や障がいのある方が目立った。

高齢社会に入り、介護が必要な人を施設だけでは収容できなくなり、在宅でもケアすることが広がっている。平時のシステムとしてはいいが、災害時にヘルパーや介助者が駆けつけることはできず孤立してしまう。年齢の高い方への配慮が平時は福祉部局、災害時が危機管理部局と縦割りになっているのが要因だ。要介護者のケアプランを作成する際、併せてどう避難させるかについて、災害時ケアプランとして個別支援の計画を作っている自治体もある。両者の連携を急がなければならない。

高齢者施設の立地は最大の問題だ。これまでは「迷惑施設」として扱われた結果として、地価が安く災害のリスクが高い川や崖の近くへの立地が余儀なくされた地域もある。

今後は、危険な地域への立地を自治体が厳しく規制しなければならない。さらに、危険な地域にすでに立地する施設については、高台など安全な場所への移転を誘導する仕組みを導入すべきである。

③ 当事者力を高める

平時の福祉と、いざというときの防災・危機管理が分断されているところに、まずは目を向けなければならない。平時の福祉と防災・危機管理の取り組みを連結させて、当事者の方が平時も災害時も継ぎ目なく支援されるようなケアプランが必要である。ハザード域内にお住まいの利用者には、平時のケアプランに加えて災害時のケアプランも、両方とも事前に作っておこう。これが根本的な解決策である。

このために、二〇一六年から大分県別府市でモデル事業を進め、三年間の取り組みのなかで、三つの必要なことが見えてきた（**図1**）。

まず何よりも、当事者が誰一人取り残されないようにしたい。そのためには、災害時に当事者や家族が自ら「私／私たちが自分でできることは準備する。でも、いざというときにはまわりからの支援も必要だ」といえるような、災害を生きぬくための力を高める必要がある。そのための備えを、一人ひとりの支援プランのなかに入れこんでいった。次に、当事者が住む地域が、誰一人取り残さないように地域の力を高める必要がある。そうした地域の取り組みと、当事者の努力をつなげていった。そして、誰一人取り残させない正義の基盤が社会にはあることに気づこう。この三つの取り組みが別府では二〇一六年から率先して実現されていった。そのことについて簡単に振り返ってみよう。

当事者が誰１人取り残されない
地域が誰１人取り残さない
社会が誰１人取り残させない

《別府プロジェクト》
- 2016年度：別府スケール開発・みんなで逃げる避難訓練
- 2017年度：個別支援計画（避難移動編）作成
- 2018年度：個別支援計画（避難生活編）作成

図１　誰１人取り残さない防災を実現するために必要な３つのこと

防災リテラシーを高める

まず二〇一六年に日本財団の事業の一環で別府市にアドバイザーとして招いていただいたときに、当事者の方々あるいは支援者の方々や市民団体の方々と一緒になって、そもそも誰一人取り残さない防災で何をめざすのか、事業のミッションについて話し合った。

ワークショップを開き、さらに深掘りのインタビューをするなかで、実現したいことは何よりも、当事者が災害を生き延びる力を身につけることだとわかってきた。その当事者の力とは、何より〈防災のリテラシー〉を高めることにほかならないということに気がついた。〈防災リテラシー〉という言葉は決して目新しい言葉ではなく、一九九五年の阪神・淡路大震災後に、文部省（当時）が防災教育のありようを提案をするなかで作られた言葉である。防災に関する情報の活用、防災情報を運用するために基礎となる力のことだ[3]。

マスコミが提供する情報、あるいはインターネット上の情報を批判的かつ主体的に読み解く力のことをメディアリテラシーというが、防災のリテラシーもまさに同じことである。災害情報を主体的に読み解く力、そして行動に移すことを可能にしてくれる力が防災リテ

図2　別府市での当事者参画型社会調査項目案作成ワークショップ（2016年7月4日）

ラシーである。

防災のリテラシーは三つの要素から成り立っている。脅威を理解し、備えを自覚して、とっさに行動ができるような自信を持つことである。脅威の理解、備えの自覚、とっさの行動への自信、この三つである。

防災のリテラシーが備わっていると、災害情報が発せられたときに、適切なアクション＝意思決定につながる。リテラシーがないと、適切な意思決定につながらない。

耐震補強をするかしないか？

私たちの研究グループは、兵庫県民一〇〇〇人以上から回答を得た社会調査のなかで、この防災リテラシーに関係する知見を得ている。(4)

調査対象者には、このような質問をした。

「あなたは地震に備えて自宅の耐震補強をするか悩んでいます。もし工事を行えば、二五〇万円の費用がかかりますが、住宅は損傷しないで済みます。工事を行わない場合には、地震が起こると五〇％の確率で住宅は損傷し、修繕に

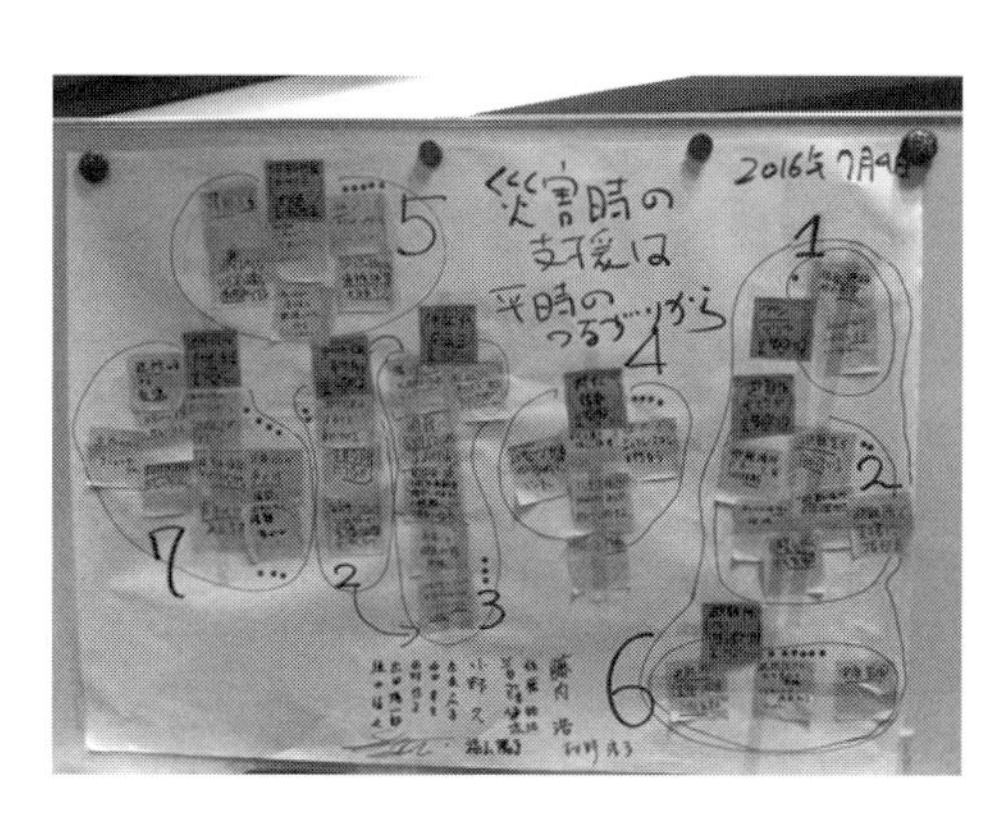

図３　項目作成ワークショップ結果

五〇〇万円かかります。あなたならどうしますか？」

一つ目の選択肢は、耐震補強を行う。つまり一〇〇％の確率で、今、二五〇万円の出費をする。

二つ目の選択肢は、耐震補強を行わない。五〇％の確率で住宅が損傷するということは、二回に一回のチャンスで難を逃れられたら、費用は一銭もかからない。けれども残り二回に一回は五〇〇万の出費を強いられる、ということだ。

このどちらを選びますか、という選択である。さあ、皆さんならどちらを選ぶだろうか？

兵庫県民一〇〇〇人からの回答は**図5**の通り、六対四で出費をせずに、チャンスに賭ける方が多かった。過半の県民は、何もしないでチャンスに賭けるといった意思決定をしていたということになる。

なぜ福祉施設で被害が起こるのか。なぜ早くに入所者の方を避難させなかったのか。管理者は、早めに避難をさせると混乱させてしまい、それが原因で病状が悪化したり症状が悪化したりしてしまうのではないかと、本当に起こりうる可能性として考えがちになる。しかし、万が一避難しなければ、もしかした

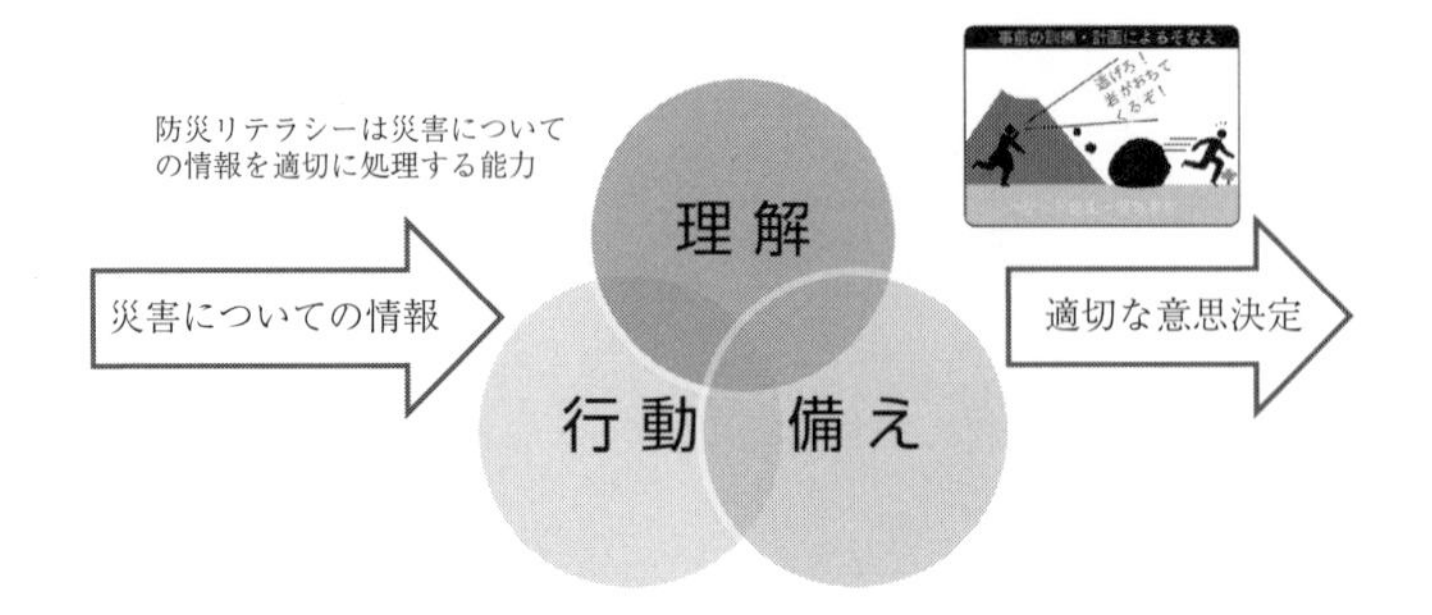

図４　当事者力＝防災リテラシー

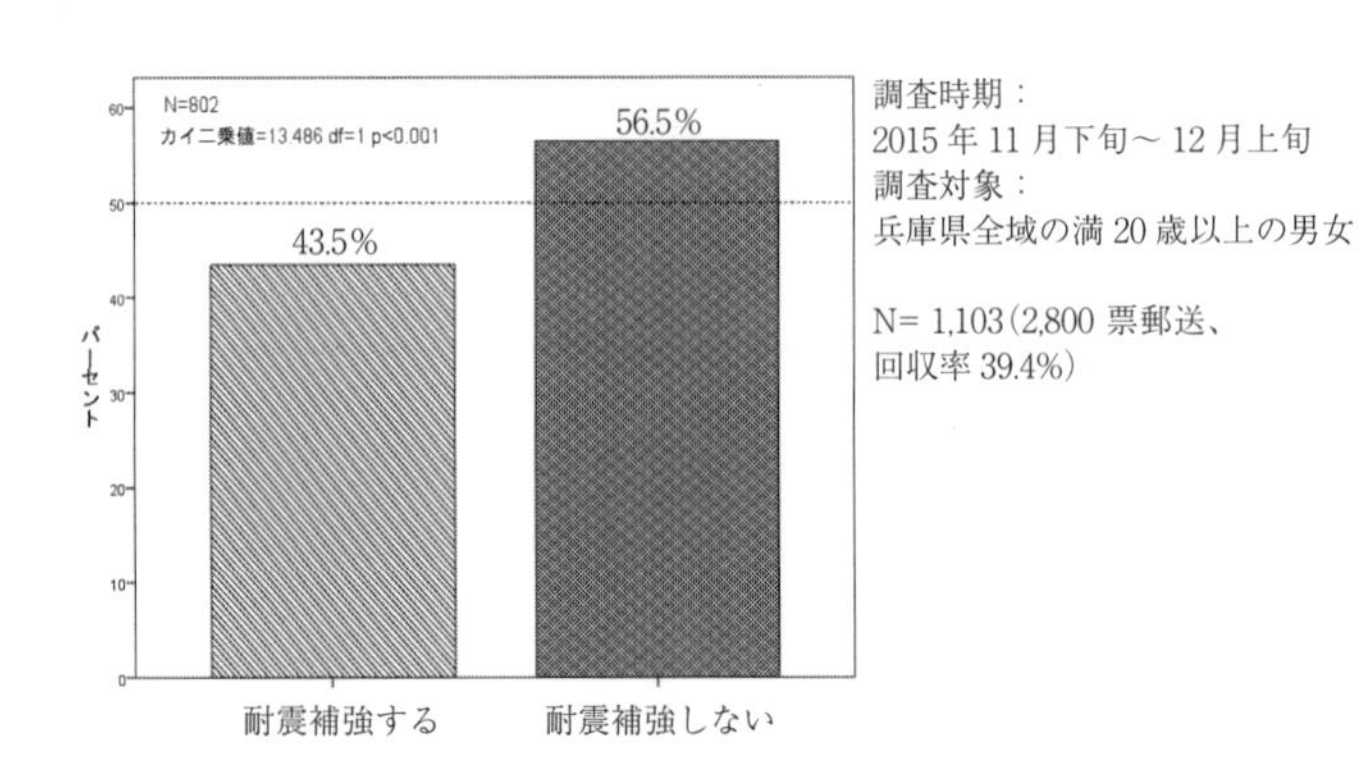

図５　兵庫県県民防災意識調査結果（2015年）

らもっと大きな被害、つまり命をなくしてしまうようなことが起こるかもしれない。

こういう選択状況下で、何もしないでいても難を逃れられるチャンスがあるならば、そちらに賭けてしまう。この結果——この問の選択肢のどちらも、実は平均的な出費額は同じ二五〇万円である——は、私たちには持って生まれた判断のゆがみ、（損失場面でのリスク追求の）バイアスがあるのだということを示している。そして、この判断のゆが

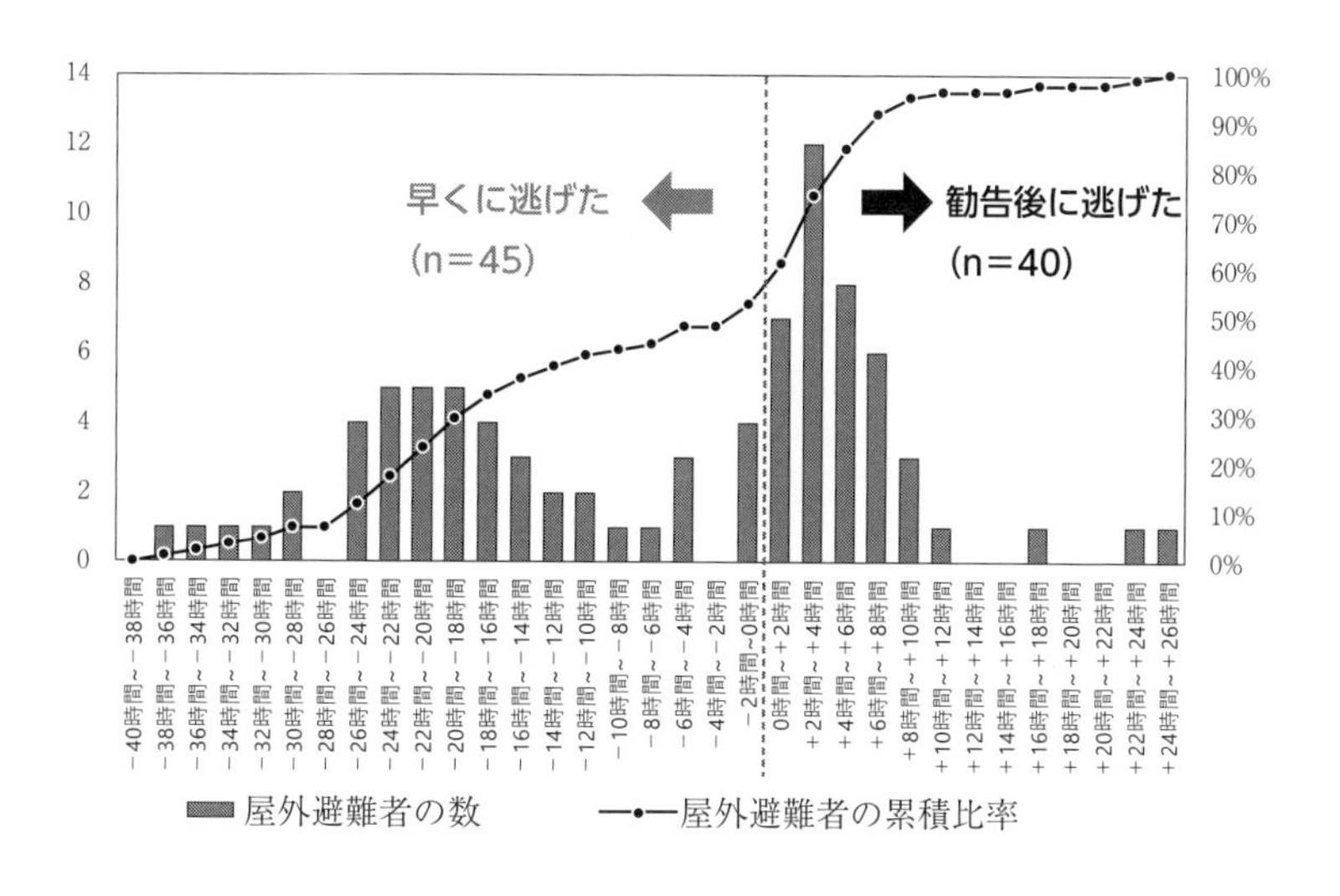

図6　令和元年台風19号時の避難タイミング

みが、私たちの避難を遅らせてしまうわけだ。

防災リテラシーと避難のタイミング
（令和元年台風一九号）

令和元年の台風一九号災害では、四〇の市町が被害を受けた。その四〇の市町で被災された住民の方々を対象にインターネットで調査を行い、実際に逃げた方々については、逃げた時間の問い合わせをした。

結果は、大変興味深いものとなった。**図6**の真ん中の点線は、避難勧告が出されたおよその時刻を示している。点線より左側が避難勧告までの時間、右側が避難勧告からの時間を示している。そうすると、避難された方々は二種類に分かれることがわかる。避難勧告が出るより前に逃げた人たちと、勧告が出されてから逃げた、遅く逃げた人たちの二種類がいた。早く逃げた人がどういう人なのかを深堀りしてゆくと、二つの特徴が見えてきた(5)。

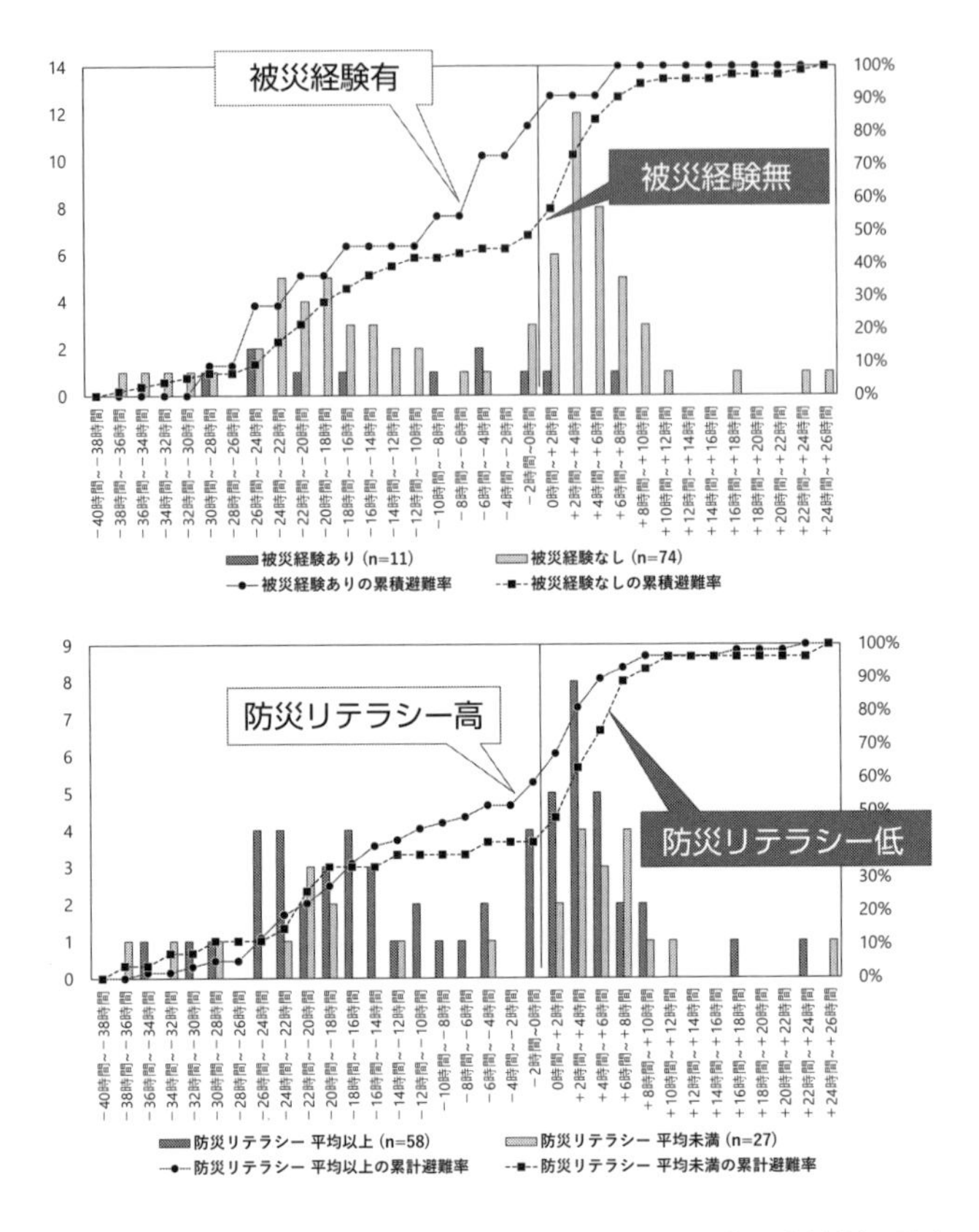

図7　早く逃げた人の特徴は防災リテラシー高と被災経験有

その二つの特徴は、**図7**に示した二つのグラフから読み取れる。まずグラフの上の方から見てゆこう。ここで、濃い色の棒は過去に被害を経験したことのある方、薄い色の棒は経験したことのない方、そして折れ線グラフは累積の度数を表している。濃い色の折れ線で示されているように、過去に被害は経験した人たちは、避難勧告が出た時点でなんと九割近くがすでに逃げておられた。被災経験があると、私たちはきわめて早く避難するといったことが、データの上でもいえるということだ。

さらに大事なのは下の方のグラフである。今度は、濃い色の棒の人たちは防災のリテラシーが高い人たち、一方、薄い色の棒の人たちは防災リテラシーが低い人たちを示している。早く逃げた人は、濃い色、つまり防災リテラシーの高い人たちに集中していた。私たちの一人ひとりが防災のリテラシーを高めると、より的確な判断をより早く行い、より適切な行動を取ることができる。これが可能になるのは、施設管理者、当事者や家族の一人ひとりの力、すなわち防災のリテラシーを高めることによってなのだ。これが、科学的なエビデンスに基づいて申し上げられることである。

④ 防災と福祉を連結する別府モデル

平時と災害時のケアプラン

二〇一六年から三年間をかけて、大分県別府市で「誰一人取り残さない防災」をめざし、平時の福祉といざというときの防災・危機管理の取り組みを連結するモデル事業を行ってきた。そのなかで得られたさまざまな知見と、実践の基礎となるこれまでの災害調査の知見も踏まえ、ここから紹介していこう。

災害時に誰一人取り残さないためにはどうするか。これは何よりも、福祉専門職の方々が平時に作っているケアプランに加えて、災害時版のケアプランを作る、つまり平時のうちに、いざというときのプランまでも入れこんでおこうという取り組みである。

被害が産まれる根本原因の一つは、平時の取り組みと災害時の取り組みが縦割りになっていて連結されていないことにあった。であるならば、福祉のタコツボから出て、防災・危機管理のタコツボから出て、災害時版のケアプランを地域の方々と一緒に作ろうではないか（**図1**）。それが根本的ソリューション、解決策になる。これが、別府市で始めた取り組みの肝となった考え方である。

図１　平時・災害時を切れ目なく連結する別府市の試み

災害時ケアプランの策定

福祉の専門職の方々は、普段から居宅介護のためのサービス利用計画、支援計画を作っている。つまり、平時だけでなく災害時にどうしたらいいのか、アセスメントをしてプランを立てるプロセスに関しても、普段から慣れている技量・知識を使って対応可能だということだ。必要な資源の見極めをしてニーズとのマッチングをし、プランを立て、モニタリングして、一定の時期が来たら再査定をする。これとまったく同じ問題解決プロセスが、災害時ケアプランを作るときにも使えるではないか。流れは、全く一緒であるということだ。当事者のアセスメントをし、地域のアセスメントをして、災害時の当事者の生活機能上のニーズと地域のインフォーマルな社会資源とのマッチングをして災害時ケアプランを作る。インフォーマルな社会資源とのマッチングについては、たとえば独居の利用者が車いすで生活している場合を例に取ろう。ブレーカーが落ちてしまった。そういった個別のときまでケアマネジャーに連絡をしてもらうのは対応に時間もかかり非効率である。むしろ近所の親しい人に「ごめん、ブレーカー落ちちゃったからちょっと手伝って」といえるような関係性を普段から作っておく。居宅介護支援や計画相談支援をしている皆さんは、そういうことを普段から実行しているだろう。その延長線上に、災害時のプランづくりを位置づけよう。

何らかの生活支障があったときのために、事前に地域のインフォーマルな資源とつないでおこう。そして、みんなで逃げる避難訓練に参加していただいて、災害時ケアプランをシミュレーションし、改善点があればもう一度このプロセスを回す、という流れだ。

災害ケースマネジメント

最近になって、被災された方が自分の生活を元に戻していく、生活を再建していくという文脈のなかでも、皆さん方と同じ仕事の進め方をする人たちが現れてきた。そういった方々の仕事を災害ケースマネジメントと呼ぶ。これは、生活再建を目的にして、そこで必要な要素は何なのかという見立てをして、その見立てに沿って必要な資源をつなげ、伴走しながら最終的な着地点、生活の再建までお付き合いをする業務である。西日本豪雨（二〇一八年）、令和元年台風一九号災害（二〇一九年）、令和二年七月豪雨（二〇二〇年）でも、被災後に生活に支障が出る年齢の高い方や障がいのある方々が数多く見られた。こうした方の生活再建に伴走できるのは、普段からこのプロセスを回している人たちである。たとえば広島市では、二〇一四年の広島市豪雨災害の教訓をもとに、計画相談利用者の生活再建支援に担当の相談支援専門員が積極的に関わり、支援策

個別支援計画を災害時ケアプランとして福祉専門職が作成に関与する

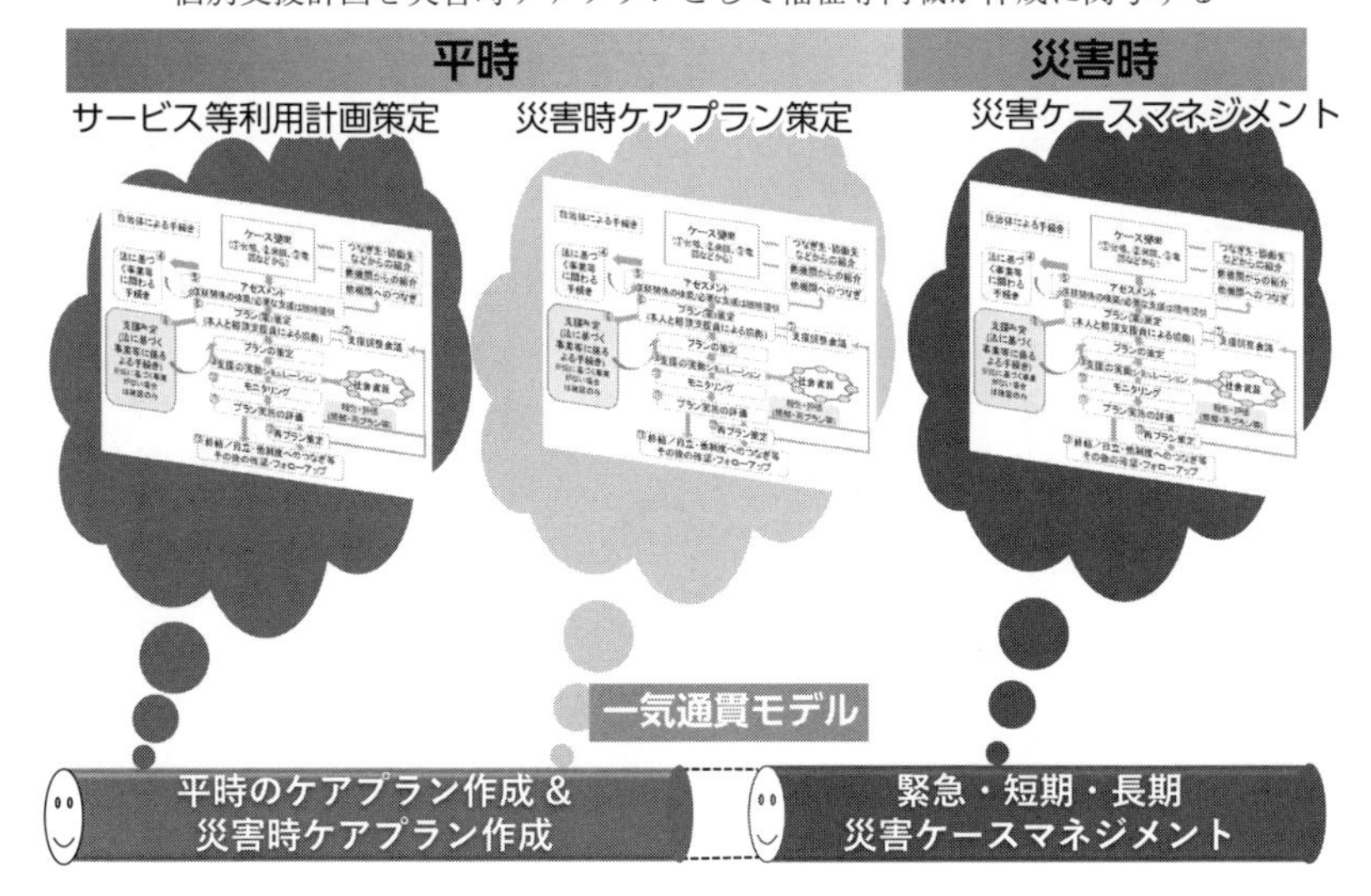

図２　災害時ケアプランと福祉専門職

をサービス等利用計画に盛りこむ「災害後生活支援システム」を二〇一七年九月から立ち上げた[6]。このような被災後の災害ケースマネジメントといった個別支援も、そこで動かす問題解決プロセスは被災前と一緒なのだ。主体と客体の状況をアセスメントして、実現したい目標を設定し、そのために活用すべき資源は何かを同定し、資源とつなげる。そして、ずっと伴走する。広島市の相談支援専門員が先鞭をつけた利用者への被災後生活支援システムとは、まさにこのことなのだ。

　平時のケアプラン作成、災害時ケアプラン作成のプロセスと、被災後の生活再建を支える緊急・短期・長期の災害ケースマネジメントのプロセスは、一気通貫で同じなのだということを、ここで確認しておきたい。このプロセスを活用すれば、きわめて多くの人材に、この問題の解決に関わってもらえるはずである。

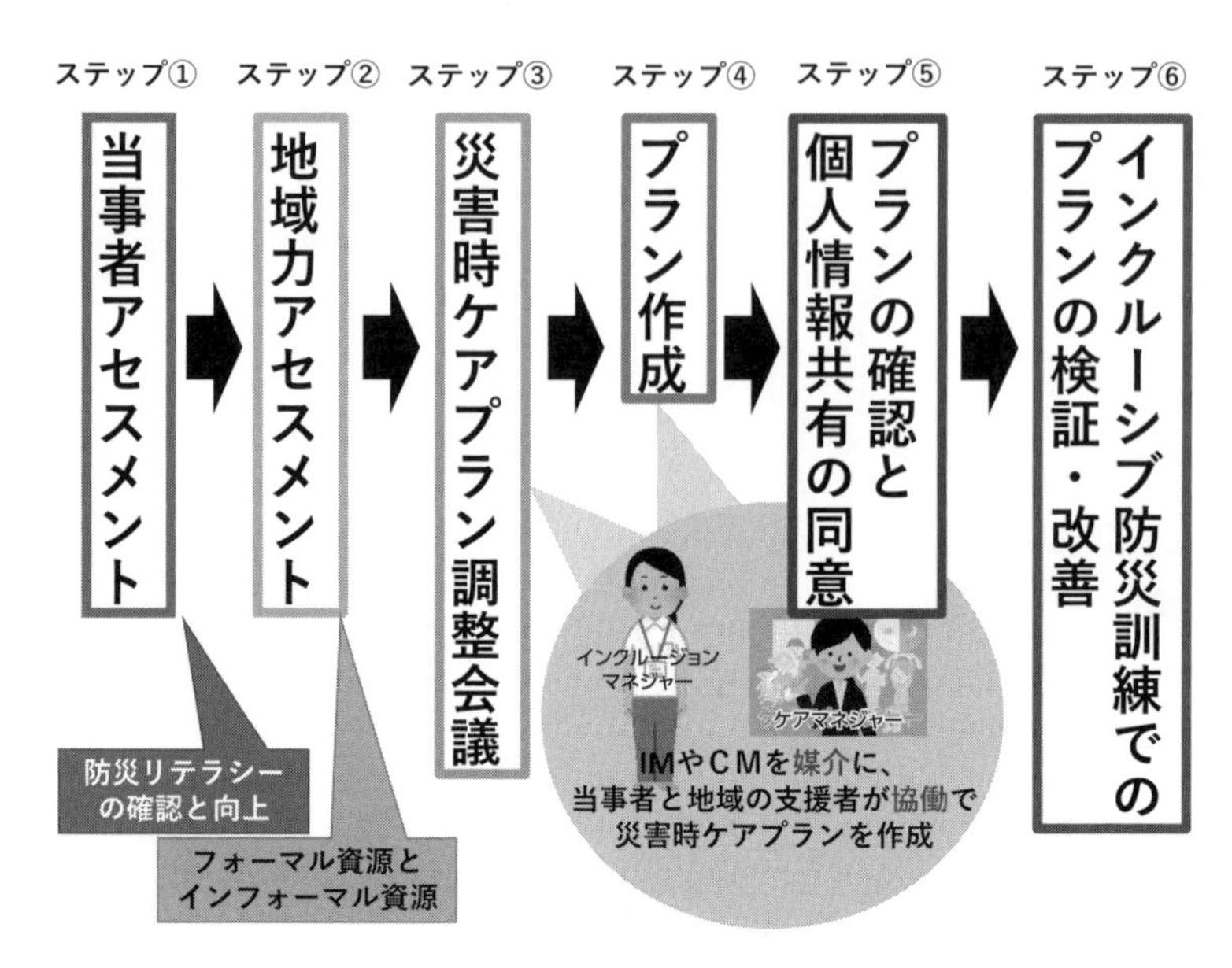

図3　個別支援計画づくりの流れ

個別避難支援計画づくりの流れ

具体的な業務フローを見ていこう。

まずは**図3**に示すように、当事者のアセスメントから始まる。ここでは、その方が今どういう防災リテラシーをお持ちなのか、つまりどういう脅威の理解、どういう備えの自覚、どういうとっさの行動への自信をお持ちなのかといったことのアセスメントをする。そのための道具もこのプロジェクトでは提供している。

そしてそれを踏まえて、脅威の理解については、我々のプロジェクトで、地震や洪水・土砂くずれといったハザードに見舞われたときに、どういう生活支障が当事者の身には降りかかるのか、シミュレーションを行い、被災後の生活を実感していただくようなサイトを作成して使えるようにしている。

たとえば、地震災害については「あなたのま

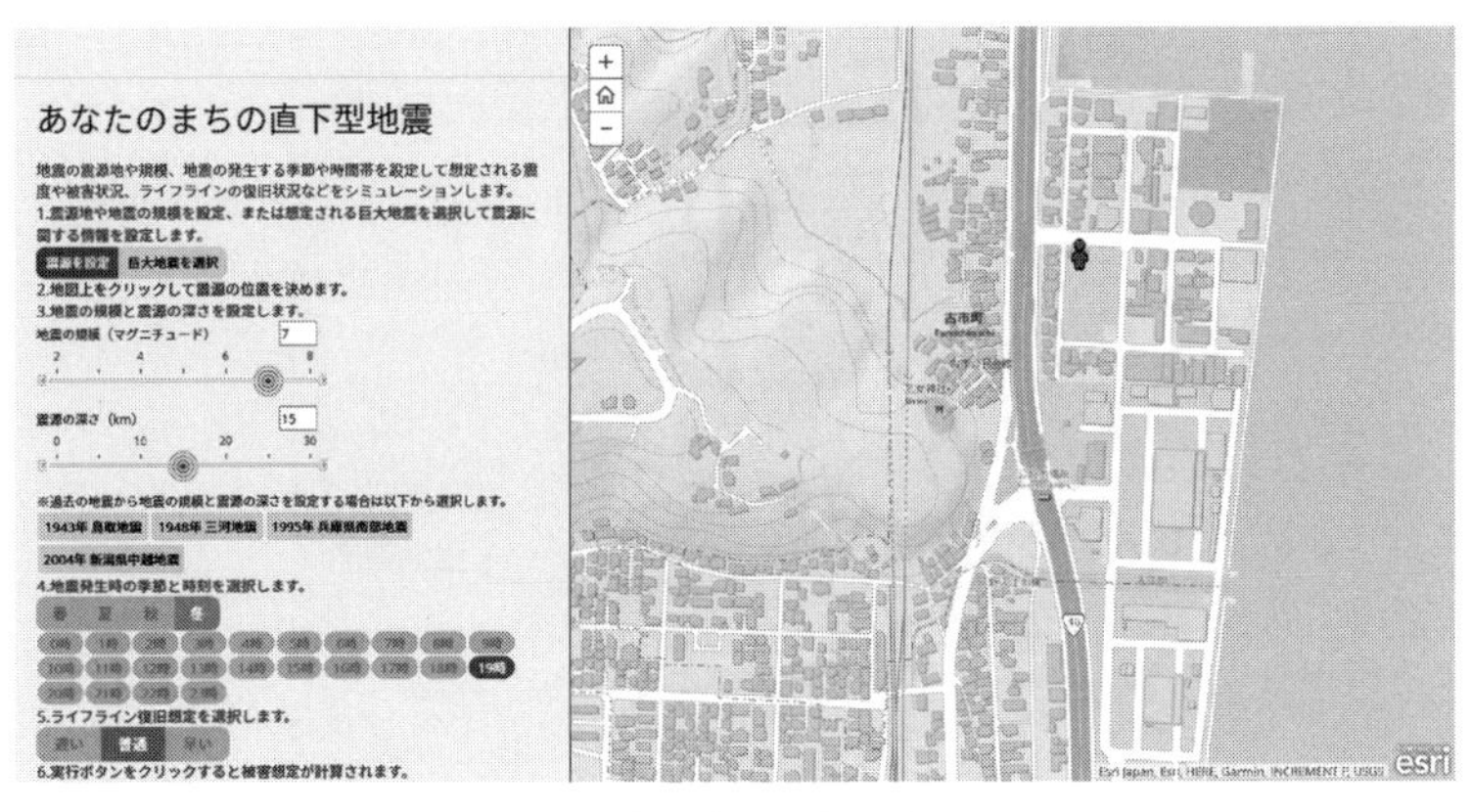

（出典）©防災科学技術研究所　鈴木進吾研究員（http://edtt1.r2ms.co.jp/pj/amcj/index.html）。

図4　あなたのまちの直下型地震（別府湾地震を想定）

ちの直下型地震」というWebサイトがそれである（**図4**）。別府市でまず想定されている災害が地震災害なのでこの例を示すが、このサイトの一番の特徴は、震度や建物・人的な被害だけではなく、インフラの被害と復旧までの時間を地図化して示せる点にある。つまり、「ここで震度六くらいだと下水道が使えなくなるから、復旧までの一週間はトイレがお宅では無理になります。そうすると、在宅では無理ですよね。避難所に行く必要が出てきますね」といった、適切な脅威の理解を促すことに役立つ。

現在作成中の別府市向けならびに兵庫県向けの新規サイト「わたしの街のマルチハザード」では、地震だけではなく水害で生活支障は何日くらい続くのか、あるいは土砂災害が起こったときにはどうなるのかといったところにも視野を広げている。災害時の生活の支障を地図に示し、その支障の内容と期間を予測できるようなツールを、災害時ケアプランを作るときに利用者と一緒に確認できるかたちで提供しようと考えてい

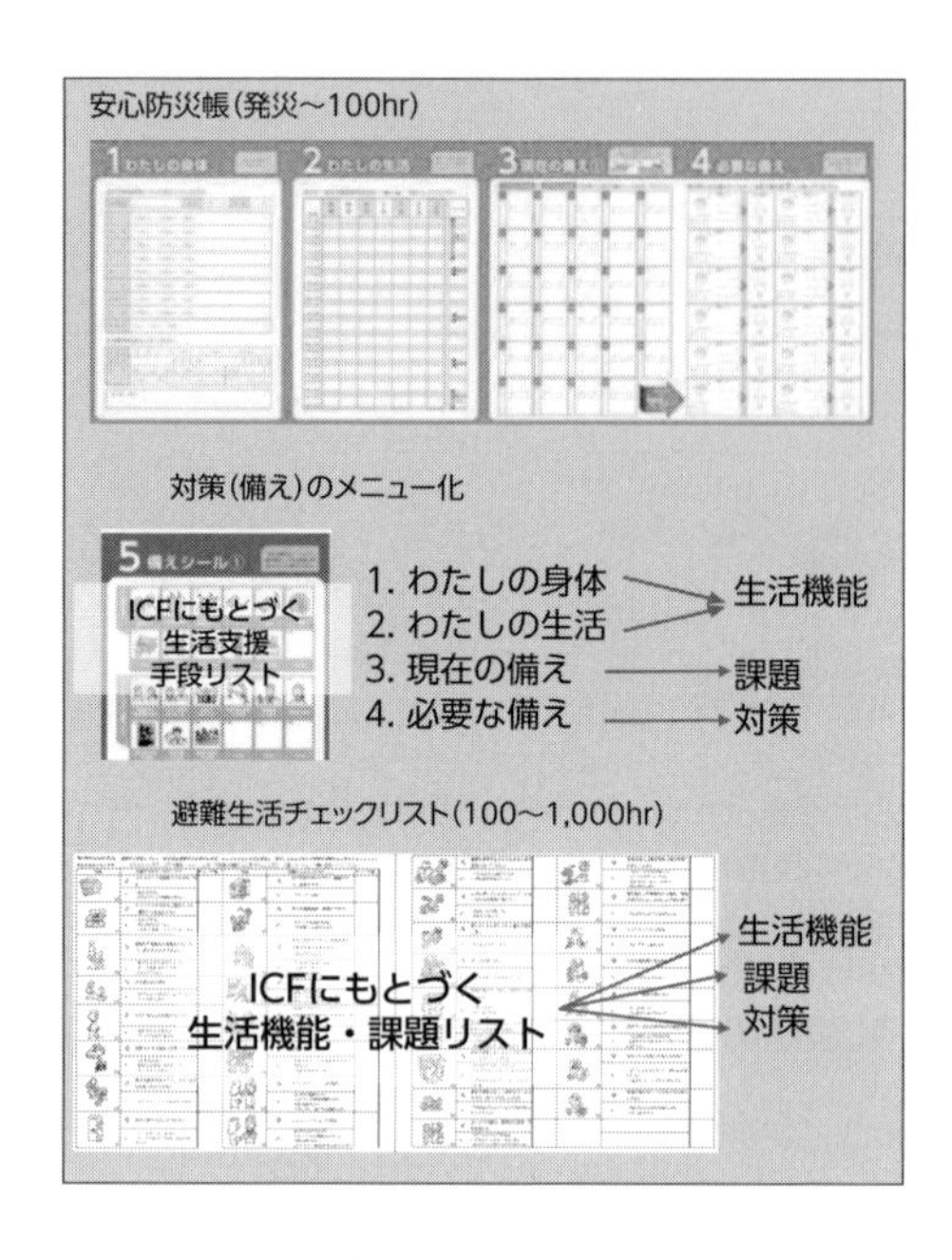

図5　自分でつくる安心防災帳

る。

そして、想定した支障に対して、自分でつくる安心防災帳（**図5**）を使うと、当事者あるいはご家族の方と、今どんな備えをしているのか、そして備えているもののなかで被災したときに実際に役に立つものはどれか、心配なのはどれかといったことを、福祉専門職や当事者同士の対話を通じて理解できるような仕掛けになっている。心配なものについては課題としてそれをリスト化し、それぞれの課題に対してこうするべきだという対策を考える。こうしたものが個別支援計画を作る上でのインフォーマルな社会資源とのマッチングの基礎になっていく。

当事者参画型の東日本大震災草の根検証ワークショップ

障がいのある人・年齢の高い人にとっての災害とは

では、被災された利用者の方々にとって、そもそもどういったところで生活の支障が生まれてくるのだろうか。二〇一三年、東日本大震災が起こって一年半くらいの時点で、仙台市で四一名の障がい当事者やご家族の方々に集まっていただき、東日本大震災で被災された後の生活で具体的にどういったことで困ったのかを洗いざらい共有化する検討会（ワークショップ）を、仙台市および仙台市障害者福祉協会と共催した。細かな手順は抜きにするが、障がいのある方にとっての災害が一体どういう事態なのかという構造が、ここで判明した。

図6は、皆さん方におなじみの国際生活機能分類（ＩＣＦ）で、これは最上位概念のチャプターレベルの構造になっているが、被災の前後で変化するところはどこなのかというと、それは心身機能・身体構造の部分ではない。被災の前後でＡＤＬは基本的に変わらないからだ。

変動する部分は何かというと、環境因子とそして活動・参加因子である。地震がドーンと来て、ライフラインが突然止まってしまった。下水が止まった、水道が止まった。流通が止まったためにヘルパーさんが駆けつけることができなくなってしまった。自分が通院することができなくなってしまった。常備の薬が切れかけてしまったというようなことはなぜ起こったのか。それは平時においてはまったく不自由なく暮らせていた環境に、災害によってバリア、障壁が生まれ、その障壁のゆえに活動が制限され参加が制約をされていた。これが障がいのある人や年齢が高い人にとって、災害が持つ意味なのだ。

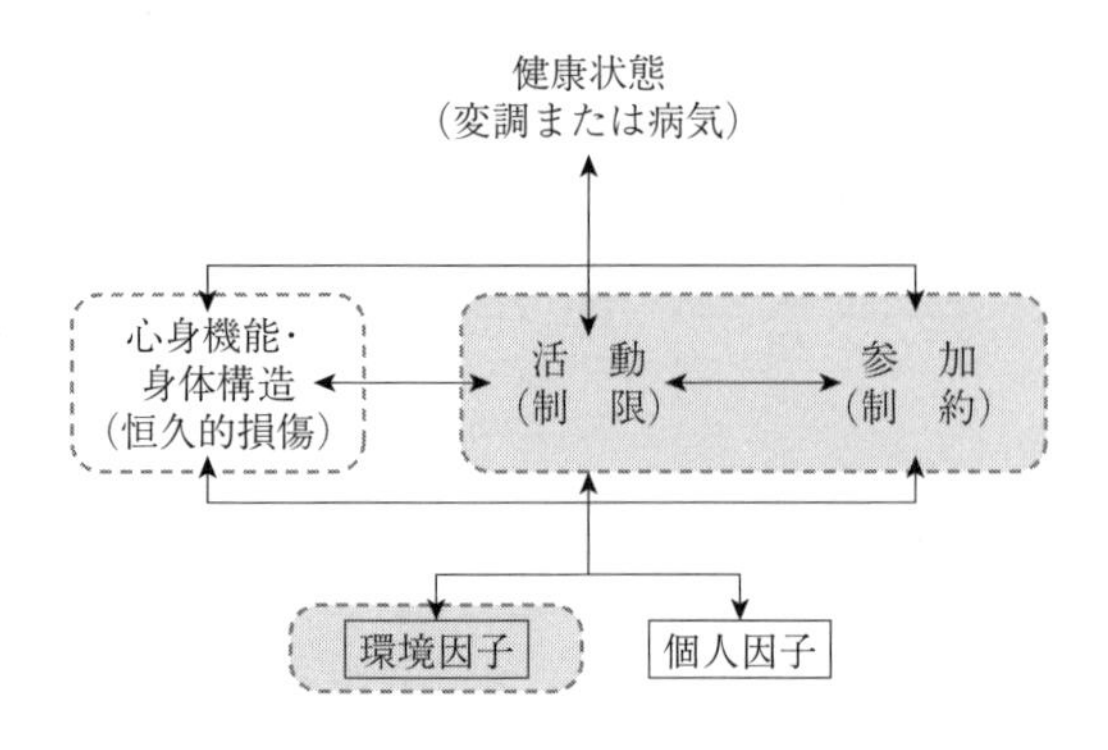

図6　国際生活機能分類（ICF）（WHO, 2001）

被災後の仙台市の障がいのある人たちの困りごと

ワークショップの成果をもとに、国際生活機能分類（ＩＣＦ）の枠組みを使って、被災された仙台の障がいのある方々一〇〇〇名以上から、社会調査による回答をいただいた（図7）。その結果、被災による生活困難のメカニズムが明快に見えてきた。環境因子の側で普段使っているサービスや、ライフラインが使えなくなってしまった。これが一番大きな困りごとの原因だった。その結果として、日常生活にさまざまな支障をきたしていた。たとえばセルフケアあるいは移動が困難になり、ストレスの対処が難しくなって、普段行っている日常生活が営めなくなっていたのである。

仙台湾に一カ所だけあった製油所が被災したため、ガソリンスタンドで丸一日、あるいは二日並ばないとガソリンが手に入らなくなった。移動について全然問題がなかった当事者まで、あるいはヘルパーやケアマネジャーまでが、車を使えなくなってしまった。

環境のなかにバリアが突然生まれる。その結果として活動が制限され、社会参加が制約を受ける。それによって当事者に不利益が生まれていた。これが障害のある方にとっての災害事態であり、

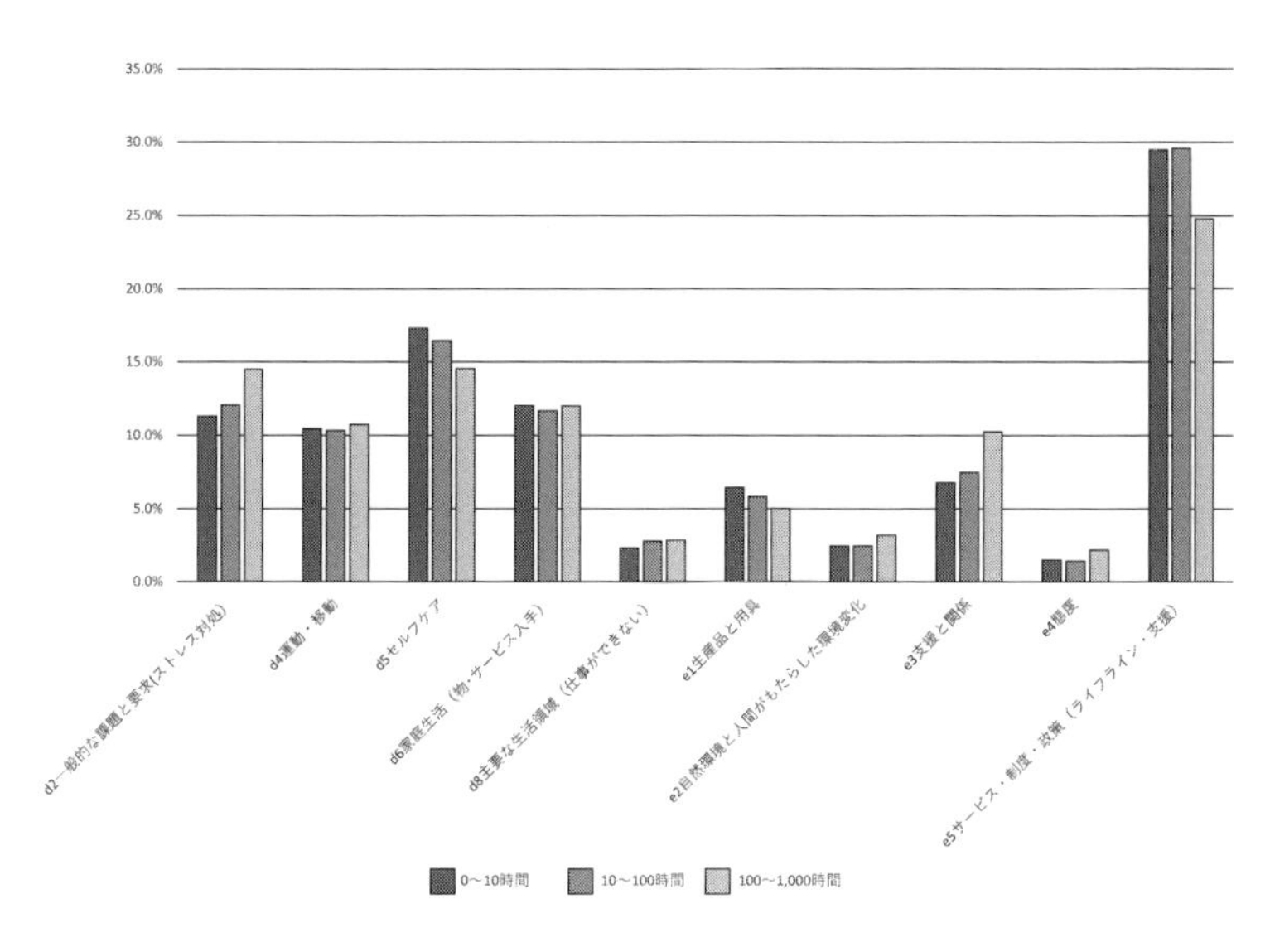

図７　東日本大震災で被災した1083名の障がいのある仙台市民の暮らしの困りごと調査（2015年１月〜２月実施）

何で困るかということのリアリティ、現実である。

当事者アセスメントと地域力アセスメント

環境の激変により生活機能にあらたな障壁が産まれていた。これが現実であるならば、生活の支障のアセスメントをするためのＩＣＦという枠組みをすでに日常の業務で活用しておられる福祉専門職の方々は、災害時に起こりうる生活機能上の困りごとを事前にアセスメントをするのに適任の人材であるといえるわけだ。

そして、利用者それぞれに対して、わが家はこんなことを備えておこう、安全なところへの移動は自分たちだけでは難しいから共助に支援を仰ごうといったことも、備えの一部に入れなくてはいけないと当事者や家族に気づいていただく。そしてみんなで一緒になって逃げる避難訓練、これを通じてとっさの行動への自信を高めていく。最初のステップとして求められるのは、このような当事者力を引き出すプロセスである。

第二ステップは、地域力のアセスメントである。この地域の自治会長はどんなことで頼りになるのか、どういったことに詳しいのか、役所のなかではどういう人を通じてなら会っていただけるか。このようなさまざまなつてを頼って、この取り組みの鍵になる役所内や地域、当事者団体、福祉事業者などの関係者をつなぐことを専従で行う人が役所には必要になる。福祉の専門職は、そういったつなぎ役を介して地域でどういう資源があるのかを確認していく。

福祉専門職の方々は、普段はフォーマルな資源とニーズのマッチングをしている。ところが、災害時ケアプランではマッチングする生活機能上のニーズに応える社会資源は、近隣というインフォーマルな方々からになる。

なので、そういったインフォーマルの資源に詳しいつなぎ役――インクルージョン・マネジャー――の方が、何よりもここで一緒になって働いていただくことが大切である。地域力のアセスメントは、そういう地域のつなぎ役、地域資源とのつなぎ役の方々と一緒になって進める必要がある。

能登半島地震（二〇〇七年）における災害時要援護者への対応

二〇〇七年三月に起きた能登半島地震は、震災関連死が一人も出なかった災害として非常に有名なものである。このときに、年齢が高い方や障がいがある方に対して、被災後に誰がどんな支援をしたのか、現地に入って調査を行った。地域の対応、行政の対応、介護保険事業者の方々の対応。これらを知るために、地域

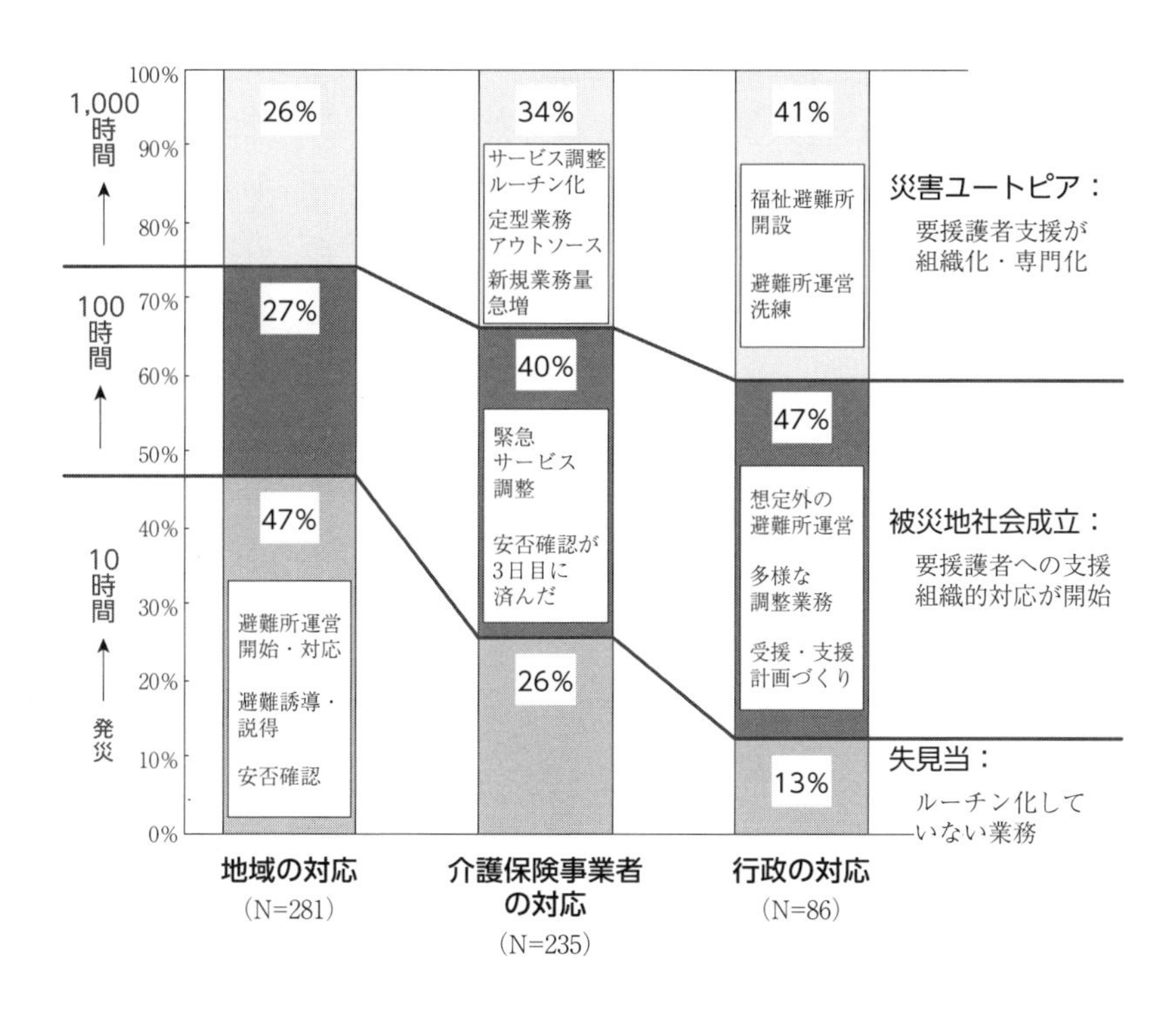

図8　能登半島地震における各組織の時間ごとの対応

の区長や民生委員、消防団の方々や公民館の館長、輪島市の行政、健康推進課の保健師たち、介護保険の事業者やケアマネジャーといった人々のそれぞれに、「私はこういうことをしました」という内容をポストイットに書き出していただいた。そして、その内容を組織ごとに分け、発災直後の一〇時間まで、一〇時間から一〇〇時間までの、一〇〇時間を超えてからという時間区分を用いて、書き出した行動のそれぞれがどの時点でなされたのか、仕分けをした。

その結果が**図8**に示すグラフとなった。各組織、地域、介護保険事業者、行政の行った業務全体をそれぞれ一〇〇にしたときに、地域の対応の約半分が、発災直後の一〇時間に集中をしていた。一〇〇時間までの時間を含めると、四分の三である。具体的に能登半島地震では安否確認を民生委員やボランティアの民生協力員が行い、実際の避難行動支援は近隣の住民が中心となって行われた。こうした行動の内容は、普段から地域組織が担っている防災や地域福祉の機能である（避難訓練、福祉マップの活用など）。いざというときに支援を提供する社会資源は、地域にこそあるという現れである。また、とっさの支援、つまり安全な所への移動や避難先でのサポートの面で、地域には人材が豊富にいることも表している。

その後、一〇時間から一〇〇時間のフェーズでは、介護保険の事業者が必死になって、自分の利用者たちの所在を訊ね歩いたり電話したりして確認を行った。また、緊急サービス調整を行うとともに、通常業務も時間を延長するかたちで行っていた。行政はこの期間に支援・受援計画の策定、調整業務、避難所運営を行い、一〇〇時間から一〇〇〇時間になるとそれらをさらに拡大した業務を行った。

災害のことになったら、防災のラインの人たちがいろいろなお世話をするのだろうなと思っておられる専門職の方々も多いかもしれない。けれども能登半島地震以降、どの災害でも、利用者さんの安否確認を率先して行ったのは、実はケアマネジャーや事業所の職員、ヘルパーさん方だった。彼らが手分けして、利用者さんの安否確認をされていた。

他法他施策の原則

能登半島地震で介護保険事業者たちは、安否確認を防災業務として行ったのではなく、本来業務として行っていた。そのことは実は法律でも明確に裏づけされている。第二章でも簡単に触れたが、災害対策基本法

要注意！！　――災害救助法と福祉サービスとの関係

●災害救助法では**「他法他施策の原則」**が採用されている

●介護サービス・障がい者サービスは、災害時であったとしても介護保険法・障害者自立支援法の**制度内で実施される**ことになる

●災害時における**「緊急サービス」の手配**のあり方を今のうちに検討しておく必要がある

●災害救助法は、介護保険法・障害者自立支援法がカバーしない要配慮者の衣食住＋生活環境を担当することになる

（出典）　山崎栄一（2018）「防災の仕組みについて（災害法制）」平成30年度福祉専門職対象防災対応力向上研修。

図９　災害救助法と福祉サービスとの関係

という法律があり、さらに実際の被災者支援実務にとって一番肝になる法律が、災害救助法である。災害救助法は、戦後の日本社会で最初にできた被災者支援の法律だが、そのなかの大きな原則の一つは、〈他法他施策の原則〉というものだ。

これは、たとえばある利用者に対する支援や見守りといった人的なサポートが介護保険の枠組みのなかで提供されているならば、災害救助法ではなく、介護保険制度を使ってサービスを提供してください、という意味だ。つまり、福祉専門職の方々が被災後の生活支援の第一義的な担い手になるということが、災害救助法には記されているということだ。被災された利用者のサポートは、福祉の仕事になる。それが救助法のまさに根本の原理である。

このブックレットの最初から確認しているように、これからの防災の担い手はぜい弱性に目

を向ける必要がある。それをいかにして減じるかということが課題となる。その文脈のなかで、皆さんの仕事こそが防災なのだと再三申し上げている。それは、実は災害救助法によっても根拠づけられているのである。

⑤ 災害時ケアプラン調整会議の実施

地域との調整会議

当事者アセスメント、地域力のアセスメントに続く第三のステップは、災害時ケアプラン調整会議となる。皆さん方は普段、利用者のアセスメントをして課題を抽出したら、それに見合うサービスをメニューのなかから選んで入れこんでいって、サービス等利用計画あるいはケアプランを作っておられます。そのプロセスを、普段のように事務所や利用者宅ではなく、地域に出向いて行って、地域の調整会議の場で行う。ここが一番大きなポイントになる。別府モデルのなかでも、一番ユニークなところだといえる。

これまでの防災での要配慮者対策というのは、自治会役員に要配慮者のリストを渡し、後は全て「お任せ」という丸投げの体制だった。アセスメントの技術も経験もない方々に、いざというときのことを問い合わせてもらい、個人情報共有の同意まで取るのだから、前に進まないのはある意味当然である。そこで、皆さんの力量、技量、経験、知識を役だてて個別の配慮を想定し、必要になる資源を当事者とともに、場合によっては当事者の代弁をすることで特定する。そして地域のインフォーマルな資源とつなぐ。その際にインクルージョン・マネジャーにも活躍していただく。こういう段取りにしたい。

図1　別府市古市町公民館での災害時ケアプラン（避難移動編）調整会議（2017年）

当事者が地域の調整会議に参加するときに、ケアマネジャーや相談支援専門員が同席して伴走する。そして自治会長、自治会の役員、自主防災会の方々といった地域の方々に対し、いざとなったら生まれる支援のニーズと、そのニーズをインフォーマルな地域資源とマッチングさせる必要があることについて、場合によっては当事者の代弁をして、説明をする。これを専門職の方々にお願いしたい。

地域のインフォーマルな社会資源について、福祉専門職はそれほど詳しくないのが実情だと思われる。そこで、これまでにも説明をしたような、防災と福祉をつなぐ調整活動をしているインクルージョン・マネジャーに、この両者の橋渡しをしていただく必要がある。各市町で最低一人、あるいは一人では無理な場合には防災部局・福祉部局から担当者が一人ずつ出てきて、このつなぎの業務に汗を共にかいていただく。別府モデルでは、村野淳子さんというインクルージョン・マネジャーが別府市の危機管理課で働いている。村野さんは、もともと大分県社会福祉協議会で災害ボランティアセンターがうまく運営されるように、日頃から訓練を行うなどの仕事を担当しておられた方だ。後述する別府市の障害者差別条例の成立にともない、災害時に障がいのある方へ合理的配慮の提供ができるようにすることをミッションに、防災推進専門員として二〇一六年一月から別府市で活動を始められた。誰一人取り残さない防災の事業がうまくいくかどうかは、福祉専門職の方々が頑張ることと、そしてインクルージョン・マネジャーが防災と福祉の連結を頑張って汗を流してくださっていること、それらにかかっているということが、別府で行った取り組みからも見えてきた。

村野さんのようなインクルージョン・マネジャーが地域の方々と当事者を橋渡しをする。そして、皆さんのような専門職が当事者に伴走する。このような二種類の専門職が扇の要になって、当事者やさまざまな関係部署、専門事業者、関係組織、そして近隣住民を一同に集めたプラットホームを形成し、皆で一緒になって、災害時のケアプラン、あるいは個別支援計画づくりに関わっていただく。

災害時ケアプラン作成

エコマップを使ったニーズと資源のマッチング

第四のステップが、災害時ケアプランの作成である。具体的には、平時に利用者がどのような社会資源を使っているのか、災害時にはどのようなニーズが生まれて、それは誰がどのように提供するのか、これをエコマップの形で表現する。

図2の左側のエコマップは、平時の社会資源の利用状況である。たとえばこの利用者は通常、月曜日から

図2　平時と災害時のエコマップづくり

金曜日まで毎日、九時~五時にこんなサービスを使っているといったことを地域の方に視覚化して説明するために、その場でエコマップを描いていく。合わせて、**図2**の右側では、災害時に在宅中ならばどんな資源が必要になるか、インフォーマルな社会資源とどのようにマッチングするかを表現する。エコマップの右側が災害時ケアプランとなる。たとえば、災害時には安全なところまで避難移動する必要がある。そのためには自治会から何人くらいの方に来てもらえたらよいか、といったことだ。あっけないと思われるだろうか。基本的に、エコマップを描ける方は災害時のケアプランも描けるのだ。

これは皆さん方、専門職の方々なら誰もが身につけている技術である。それを防災でも生かしていただくのがこの取り組みだ。最終的には、災害時に使っている社会資源の状況と平時に使っている社会資源の状況が、一枚の模造紙に反映され、それを地域の方々と共有化することによって、平時の取り組みと災害時の取り組みが切れ目なく連結される。状況認識を共有化し、平時の生活と災害時の避難体制を連結するための道具になる。

そして、どのようにして逃げるのか。安全な避難先までの径路については地図を使って検討する。こうしたことを、調整会議のなかで詰めていく。

風水害と警戒レベル、避難準備・高齢者等避難開始情報と〈マイ・タイムライン〉

警戒レベルの導入

近年、災害のなかでも特に風水害が頻発してきている。風水害が地震災害と根本的に違っている点は、実は数日前から予測が利くという点にある。

本ブックレットでも見てきた通り、二〇一八年の西日本豪雨では甚大な被害が発生し、二〇〇人以上の方が亡くなった。このときにも気象庁からの注意報・警報に基づいて市町村から避難勧告、避難指示などの情報が出されていたものの、住民によってそれらの情報が正しく理解され、命を守るための行動につながったかなど、さまざまな課題があげられた。これを受けて、災害情報を住民がすぐ理解し、的確な避難行動につなげられるように、五段階に分けた〈警戒レベル〉という考え方を導入した（二〇一九年六月）[7]。

その警戒レベルごとに地域や、私たち一人ひとりが取るべき行動を時系列で紐づけする。警戒レベル1（早期注意情報）では災害の心構えを高め、防災情報などに注意する。気象庁から大雨注意報や洪水注意報が出される警戒レベル2では、避難について再確認する。警戒レベル3となると、市町村から避難準備・高齢者等避難開始情報が発表される。警戒レベル3になったら、利用者の方々には逃げていただく。

こういった防災リテラシーを利用者さんたちにきちんと持っていただくことが大事だが、この数年における風水害の被害から見えてきたことは、警戒レベル3になってもなかなか皆さんが逃げないということだ。逃げるというアクションはやはり、非常に重たいアクションなのだといえる。だから、急に重たいアクションをするには、あまりにも抵抗が大きい。

警戒レベルに応じた〈マイ・タイムライン〉づくり

それではどうするのか。それよりも手前で、より軽いアクションをあらかじめ行っていただくようにする。警戒レベル1で気象の注意報が出たら、以後ニュースはつけっぱなしにしておこう。警戒レベル2になって警報が出たら、自分の避難先はどこなのか、あるいはハザードマップを見て、わが家はここだからここに逃げるといった確認を念のために取っておこう。あるいは家の人に、警戒レベル3になって避難が必要になる前に、仕事から戻ってきて、車を出せるように依頼するといったことを、警戒レベル2で行おう。

そうしておけば、警戒レベル3、避難準備・高齢者等避難開始の情報が発令されたとたんに、アクションが起こしやすくなる。

このような、警戒レベル1・2・3、それぞれの段階で時系列に沿って、いつ誰が何をするのかを連鎖化した行動計画を、〈マイ・タイムライン〉という（図3）。

ぜひ調整会議の場で、利用者がすることに対応して、そのタイミングで地域がすることを紐づけた〈マイ・タイムライン〉を作っていただくことを、ここでお願いしたい。

「いつ」「誰が」「何をするのか」を時系列に沿って連鎖化した行動計画

東峰村タイムライン（豪雨版）　令和元年●月発行

岩屋行政区タイムライン　　家の指定緊急避難場所：（　　）　一時避難場所：（　　）

警戒レベル	状況	行政区	個人	追加項目
警戒レベル1（事前対策）	[illegible]	[illegible]	[illegible]	追加項目
心構えを高める				
警戒レベル2（注意）	洪水注意報 大雨注意報 等	[illegible]	[illegible]	追加項目
避難行動の確認				
警戒レベル3	災害警戒情報 洪水警報 等 / 災害警戒本部 設置 指定緊急避難場所開設（3箇所） / 避難準備・高齢者等避難開始	[illegible]	[illegible]	追加項目
避難に時間を要する人は避難				
警戒レベル4	土砂災害警戒情報 氾濫危険情報 等 / 災害対策本部 設置 指定緊急避難場所開設（4～6箇所） / 避難勧告 避難指示（緊急）	[illegible]	[illegible]	追加項目
速やかに全員避難				
警戒レベル5	災害発生情報 大雨特別警報 等	[illegible]	[illegible]	追加項目
災害発生！命を守るための行動を				

図3　〈マイ・タイムライン〉で行動の連鎖化を！

個人情報の共有への同意

そして、個人情報共有プランを確認し、個人情報の共有の同意を取りつける。これが実際の個別支援計画になる。**図4**の兵庫県のひな型では、以下のような内容になっている。

- ●まずは自分はどういう危険なところにいるのかを当事者として理解しました。
- ●脅威の理解をし、備えとして必要なことをチェックします。
- ●そしてそれに応じて、とっさの行動への自信を高めることができるように、警戒レベル1ではわが家はこれをします、そのときに応じて、地域ではこういったことをやります。
- ●警戒レベル2になったらこういう確認をします、あるいは問い合わせをやります、それに応じて地域はそれに応じます。
- ●警戒レベル3では避難します。そのタイミングで地域は避難支援者がそこに駆けつけていられるように

作成：兵庫県　防災と福祉の連携による個別支援計画作成促進事業　実行委員会

避難行動要支援者の「マイ・タイムライン」と「地域タイムライン」　0710案

作成日：令和　　年　　月　　日

■災害への備えと個人情報使用の同意について

災害発生時に地域の支援者と安全に避難できるよう、「私に必要なこと」を理解してもらうため、私に関する情報を関係機関・者と共有することに同意します。

ふりがな					
氏名		性別	男・女	生年月日	年　月　日　歳
住所		電話番号			

事業所・事業者名
作成者：

災害リスクを知って「逃げるタイミング」を理解しましょう。地域で協力し、「誰ひとり取り残さない避難」へ。

■住まいに起こりうる災害は…ハザードマップで確認を！

□住まい　建築時期	年　月	構造	木造・鉄骨・鉄筋　建て
□洪水	浸水区域内・区域外	浸水深	メートル
□土砂災害	警戒区域内・区域外		

■ペットを飼っていますか　□はい　□いいえ

□一緒に避難する

□知人らに預ける　（　日前に）

■避難準備にかかる時間は？

□家族らへの連絡	分
□持ち出し品の準備	分
□家の戸締まり	分
計	分❶

■どこに避難しますか	■距離	■手段	■移動時間
□避難先１			分❷
□避難先２			分❸
□自宅の浸水しない場所（２階以上など）			

□避難先１へ必要な時間（❶＋❷）	計	分
□避難先２へ必要な時間（❶＋❸）	計	分

■持ち物リスト

□現金（小銭）	□マスク
□保険証	□手指消毒液
□服用薬	□体温計
□お薬手帳	□石けん
□携帯電話（充電器も）	□使い捨てビニール手袋
□着替え	□
□タオル	□
□メガネ	□
□入れ歯	□
□補聴器	**■自宅に必要な備え**
□車いす	□非常食（　）日分
□杖・シルバーカー	□飲料水（　）日分
□	□懐中電灯（電池も）
□	□
□	□
□	□

目安の時間	警戒レベル	私の行動	地域（支援者）の行動
3日前	•レベル１ 早期注意情報 災害への心構えを高める	□家の周りの点検と片付け □気象情報の確認を始める □避難先・避難経路の確認 □水・食料・ガソリン・服用薬などの準備 □避難先（親戚、知人宅）に連絡 □ □ □	□地区内の役割分担・連絡体制の確認 □避難経路の状況確認 □避難所の防災用品・備蓄品の確認 □要支援者と支援者の予定を確認 □ □ □ □
2日前 1日前 半日前	•レベル２ 大雨・洪水注意報 避難行動を確認 大雨洪水警報等	□気象情報の確認 □避難経路の確認 □非常用持ち出し袋の準備 □支援者への連絡 □ □ □ □	□要支援者の所在確認　【誰が：　】 □要支援者に避難準備呼びかけ【誰が：　】 □ □ □ □ □ □
7時間前	•レベル３ 高齢者等は避難開始	**□個別支援計画に沿って避難開始**	**□要支援者に避難呼びかけ　【誰が：　】** **□要支援者の避難誘導開始　【誰が：　】** □
3時間前	•レベル４ 危険な場所から避難		□ □
0時間	•レベル５ 命を守る行動を！		□

■自由記述欄

図４　〈マイ・タイムライン〉〈地域タイムライン〉と個人情報共有の同意

します。

こういったことを、時系列に沿って利用者さんと地域がすることを、〈マイ・タイムライン〉として作成するのが、このステップである。

そして、これに基づいてインクルーシブな防災訓練を行ったり、あるいは避難に際しての準備を進めたりする。それが最後のステップになる。

別府では、事業の二年目の二〇一七年度に避難移動のための計画作りを行い、翌二〇一八年度に避難生活時のケアプラン作りという風に、年を分けて進めた。けれども、兵庫県では、これらを一緒にやってしまおうと考えている。避難生活編についても、できれば一回の調整会議のなかで、避難移動に加えて避難先での過ごし方も、プラン作成に加えることを考えている。

以上をまとめると、調整会議の場で災害時ケアプランを作り、それを当事者と地域の方々で情報共有して確認をする。確認して情報共有するといった流れになる。

災害時ケアプラン（避難生活編）調整会議

ユミさんの課題と対応策の検討

別府で、避難生活編の災害時ケアプランを作ったときの模様が、**図5**の写真である。最終的に話し合いを通じての避難生活時の生活の個別の困りごとのアセスメントに利用したのは、皆さんが普段使っているＩＣＦの環境因子と活動参加因子だけを取り出したもの（被災後の暮らしの困りごとチェックリスト）である。これを使って、調整会議の場では、具体的に何が困るのか、ワークショップ形式で課題を出し合い、その課題に

図5　ユミさんの災害時ケアプラン（避難生活編）の検討

対してどのような対策を取るのか、その場で地域の方々と決めていった。このときに参加された障がいを持つユミさんとそのお母さん、そして地域の方々が一緒になった取り組みを紹介しよう。

ユミさんの場合は、知らないところに行くと寝つきが悪くてずっと起きている、これが課題だということになった（ICF上の困りごと）。それに対して出されたいろいろなアイデアを付箋に書きつけて整理をしていった（図6、図7）。最終的な共通理解は、お母さんがユミさんを落ち着けるときに一番大きな資源になるということだった。それでは、一緒に逃げてきた住民は、そのお母さんをサポートすることによって間接的にユミさんをサポートできる。これが対策としてまとめられた。たとえば配膳のときにユミさんを置いていくと不安になってしまうから、代わりの人が受け取りに行く。お母さんがトイレに行くときには代わりにユミさんを見ている。こういったことが、避難生活編で出された一つ目の課題への配慮だ。もう一つは、環境が変わることが厳しいということだった。アイデアのなかで住民がそれぞれに口にしたこと

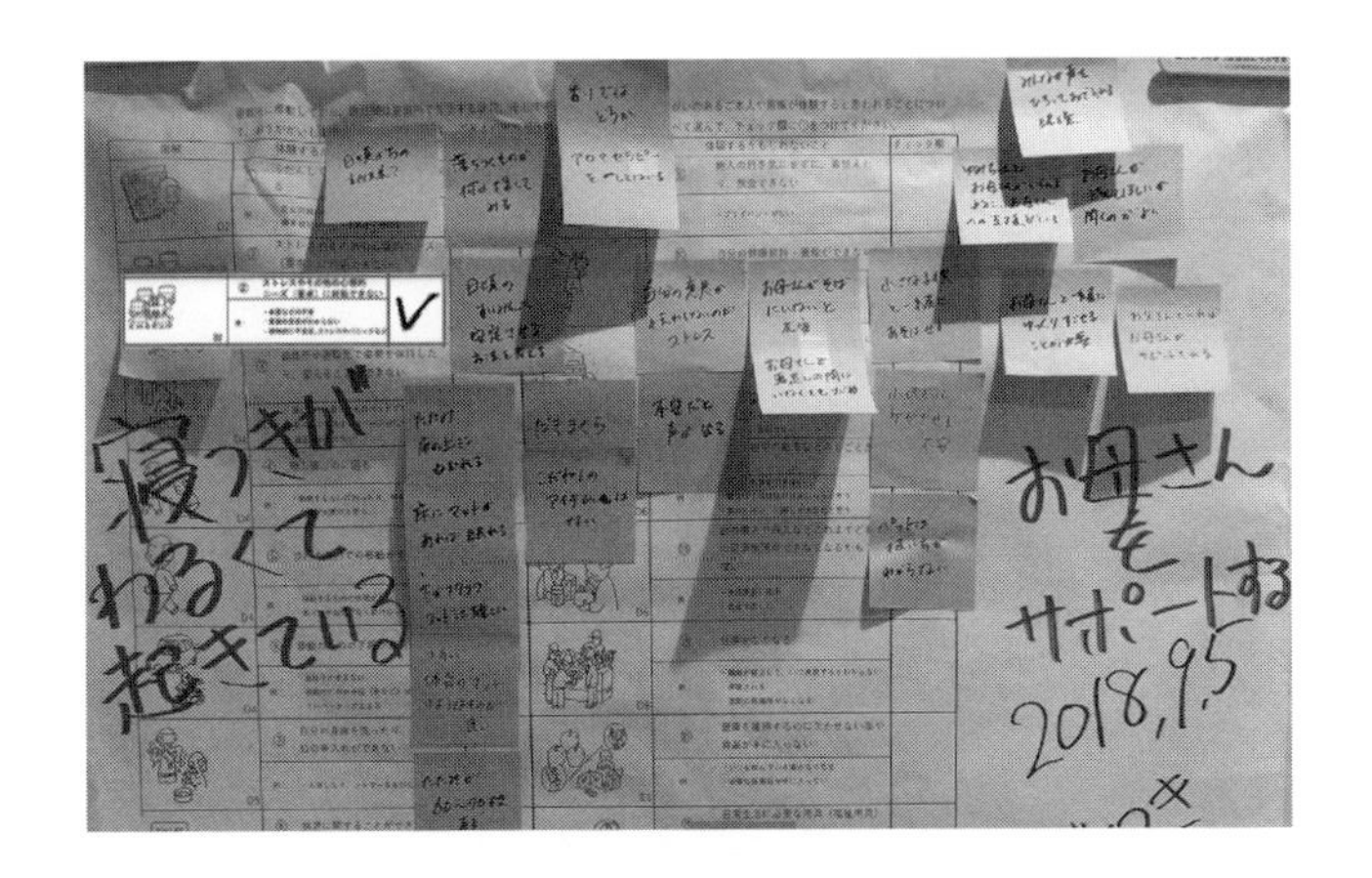

図6　「寝つきが悪くて起きている」への対策

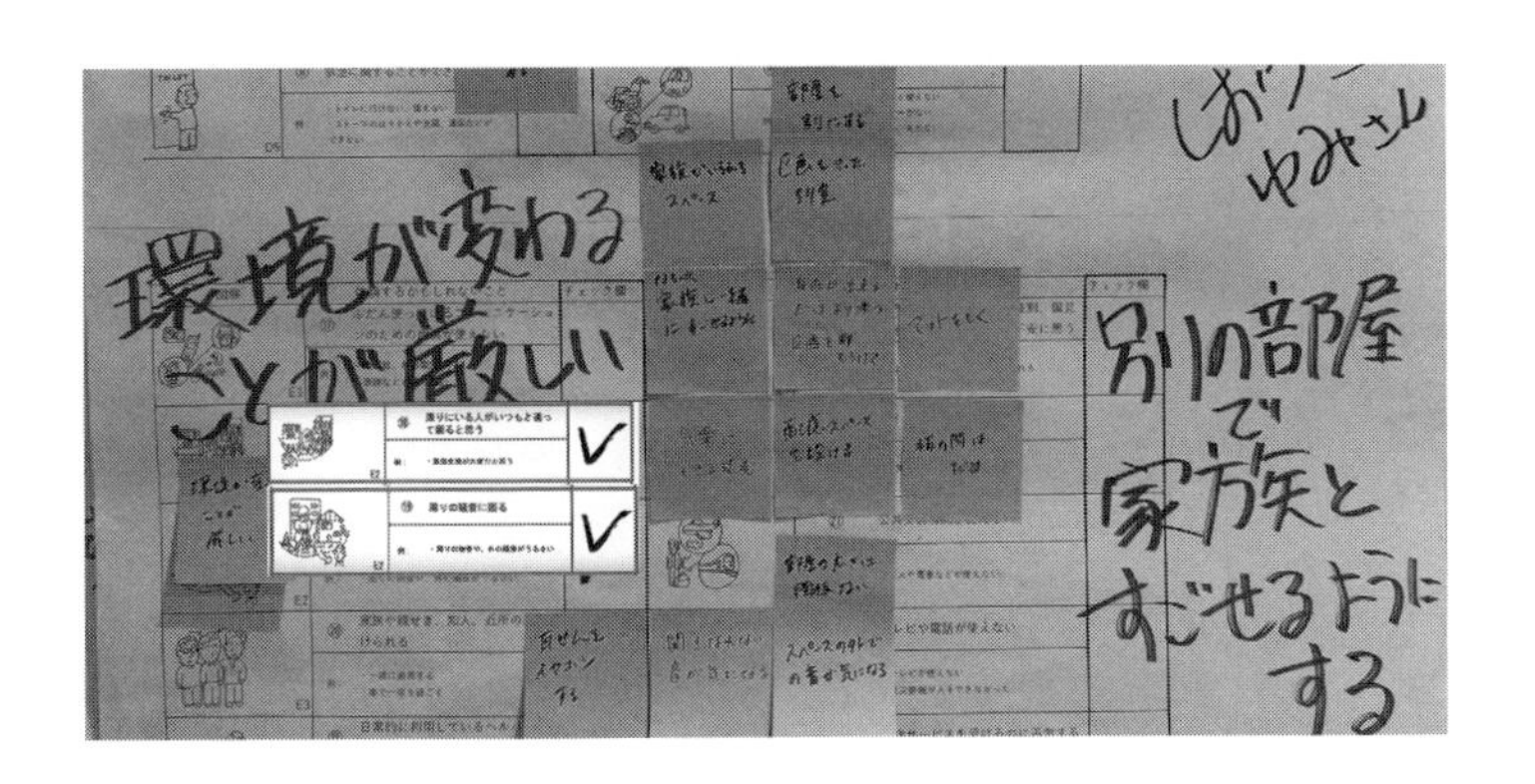

図7　「環境が変わることが厳しい」への対策

地域住民による受付

別室までは消防団員が引率

プランで予定した家族と過ごせる個室で時間を過ごす

図8　指定避難所での地域住民による「誰一人取り残さない」
避難所開設訓練（2018年11月25日、別府市立北部中学校）

は、大勢がいるところでは環境が激変して大変だろうから、別の部屋を用意し、家族で過ごせるようにしてもらうことだった。このような解決策を提示して、避難生活編の対策として文書化していった。

インクルーシブな防災訓練の実施

災害時ケアプラン（避難生活編）ができたら、それに基づいてインクルーシブな住民主体の避難所運営訓練を実行した。ユミさんとお母さんには実際に受付に駆けつけてもらった。地域住民が受付で対応をし、「避難生活編のケアプランをお持ちの方」として対応が行われ、別室に案内されて、プランで予定した場所で家族で一緒に過ごすことができた。

もう一人、車いすで生活されている方にもこの防災訓練には参加してもらったのだが、この方の場合には、地域住民による受付側で情報がうまく共有化されておらず、受付ではよくわからないのでちょっと待っていてくださいということになった。そこでもう一度列に並び直しをされて、最終的には指定された避難場所、要配慮者スペースにたどりつくことができた。

《コラム》パンデミック下での災害対応

NHK大津　しが!!　防災応援ラジオ　放送日：二〇二〇年四月一七日（金）

アナウンサー　立木さんは、滋賀県の危機管理センターで開かれている防災カフェで二〇二〇年三月に出演される予定でしたけれども、新型コロナウイルス感染防止のために延期になりました。今の状況をどうご覧になっていますでしょうか。

立木　当初は、これはわれわれ自然災害を研究する、あるいは対策を考える畑とは違うところだなと、いわばちょっと他人ごとで考えていたのですけれども、気象災害というのがもう起こり始めていますよね。そうすると、そういったなかで避難あるいは避難対策をどう考えたらいいのだろうかということで、ここ数日ぐらいから本当に真剣になってこの問題を考えれば考えるほど、解決策は難しいなというふうに思い始めています。

アナウンサー　防災カフェで予定されていたテーマが「誰一人取り残さない防災」ということで、この「誰一人取り残さない防災」というのはどういった防災なのでしょうか。

立木　これまでの日本社会の防災対策のなかのとても重要な懸案事項の一つが、年齢が高い方であるとか障がいをお持ちの方、あるいは妊産婦さん、外国人という、いざというときに自力で安全な所に避難することが難しいような方々。こういった方々に対してどうすればいいのか。そういう対策というのは、もう三〇年以上前から日本の防災の関係者というのは考えてきたのですね。

でも、繰り返し繰り返し災害が起こると、被害は年齢の高い方や障がいのある方に集中している。みんながちゃんと逃げられる体制をちゃんと作ってこなかったし、あるいは、そういった問題が起こってくる根本的な原因にちゃんと目を向けてきていなかった。ここに一番の問題があるのではないか。そういったことを考えて、誰一人残さないということを言い始めたのですね。

一番の根本問題は、日本社会全体の高齢化あるいは超高齢社会の到来といったことが背景にある。どういうことかといいますと、日本では二〇〇〇年から介護保険制度が始まりました。要介護認定を受けて在宅でサービスを利用しておられる方が二〇年前は一二〇〇万人ぐらいいらっしゃいました。現在、その在宅のサービスを利用されている方は三七〇〇万人強です。

つまり、二〇〇〇年と比べて三・五倍ぐらい、在宅で暮らすためのさまざまなサービス、ヘルパーさんに来ていただくとかデイサービスに行くとか、そういったかたちで地域で暮らしておられる年齢の高い方が、めちゃくちゃ増えたのですね。介護保険制度ができたことによって、いざというときに自力では安全な所への避難が難しい方々が、大量に社会のなかで暮らせるような仕組みを日本は作った。

けれども、その方々がいざというときにどうしたらいいのかという対策は、今度は介護保険や医療や福祉という仕組みのなかではなくて、防災という対策のなかで取られてきていて、その防災、いざというときの対策と平時のときの対策が全く分断されていた。この問題は昨年の令和元年の台風一九号災害でも、やはり現実のものになりました。

それで国は、中央防災会議のなかに対策を考えるワーキンググループを立ち上げて、その会議に私もメンバーとして参加したのですけれども、地域の方々の善意に頼るだけでは実効性がこれまでもなかった、弱かった。だったら、在宅で暮らせるような平時の介護保険のサービスを使っておられるような方々については、普段から面識があってサービスの調整をしておられるケアマネジャーさんの方々に、いざというときのケアプラン、これを私は災害時ケアプランと呼んでいますけれども、そういったものも併せ持って作っていただいたらいいではないか。

防災の畑では、いざというときの支援の取り組みのことを個別支援計画といいますけれども、直接の当事者の懐に飛びこんで、面識があって信頼を得ていて調整ができるケアマネジャーさんに、個別計画の策定にもっと積極的に関わってもらおう。ケアマネジャーさんだけではなくて、福祉の専門職の方々にもっと具体的な役割を担っていただいて、協力を得られるような仕組みを作ろうではないか。こういったことが、本年(二〇二〇年)三月末にワーキンググループが出した答申のなかに盛り込まれたのですね。

平時の福祉と災害時の取り組みを連結する制度を作るというのは、中長期的な問題になるのですけれども、三月末に出した報告書のなかには、当座何ができるのかということについても書きこんでいます。そのなかに、在宅の年齢の高い方や、障がいがあり障害者総合支援法というサービスで在宅のサービスを受けておられる方々については、福祉の専門職の方々、ケアマネジャーさんや相談支援専門員の方々が、当事者のお宅や当事者の方の災害リスクを把握できるように、そういうサポートを福祉の側からも推し進めていっていただきたい。

ご自宅にはどんな災害のリスクがあるのか。自治体はハザードマップを提供しています。福祉の専門職の方々にもこういったマップを、お一人おひとりの方の自宅の状況を踏まえて、たとえばこれからの豪雨が起こってくるシーズンに備えて、「お宅はハザードマップで見たら色つきの所にありますね」、だったら事前に、どんなことを考えたらいいのかについて対策をあらかじめ作っておきましょう。これを防災ではタイムラインと呼んでいます。それを各世帯、要援護者の方、あるいはサービスを受けておられる方、あるいは地域のなかの自治会・町内会のなかで、みんなでこのようなタイムラインを共有化しておこう。

そうしておけば、たとえば警戒レベル3、これは高齢者などの配慮が必要な方に関してはもうその時点で避難してくださいという意味なのですけれども、出されてから突然判断するのではなくて、タイムラインをあらかじめ持っていれば即座に行動に移せる。そういうスイッチが押せるような体制をあらかじめ作っておいていただく。そういったタイムライン作りに、専門職の方々も今からぜひ関わっていただきたい。そういったことができることだと思うのですね。

アナウンサー　そういったなかで、新型コロナウイルスの感染が広がるなかで、では自分たちはどうしましょうかということも、一緒に相談ができるわけですよね。

立木　そうなのです。そういった方々、だから本当は今年から滋賀県でも、専門職の方々と一緒になって防災のことを福祉の専門職の方に学んでいただいて、そして実際の個別計画を災害時ケアプランとして作るというような取り組みを高島市で始めることになっていたのですけれども、それを前倒しして、福祉の専門職の方に、防災について自主的に学んでいただけたらというふうに考えているのですね。

避難という言葉は、実は二つの意味があります。今まで申し上げたのは、安全な所に移動するという意味での避難です。もう一つ、日本語の避難には、避難所で生活するという意味合いもあります。コロナウイルスが蔓延しているなかで、今度は避難所をどうするのだということが、現実にもう問題になってきていますよね。皆さんに「指定避難所に来てください」ということを申し上げても、そのなかにはもしかしたら体調が悪いあるいは熱をお持ちの方がいるかもしれない。そうすると、入り口で関所を設けて体温をチェックしていただく、体調をチェックしていただく。

今の段階で症状のない方は、いわば避難所のなかに一般エリアを設けて、三密を避けてそちらに入っていただく。体温が上がっている人に関しては、同じ所に行っていただくのではなくて別の場所を用意する。そういったことを今から各自治体に検討していただきたいのですね。そうなると、とてもではないですけれども今用意している指定避難所だけでは場所が絶対に足りなくなります。ですので、今の段階から公的な施設を多数確保しておく、あるいはホテルであるとか旅館であるとか研修所であるとか、賃貸住宅で入居者がいらっしゃらない空き家になっている所もあらかじめ避難所として指定する。そういった取り組みを、今からでもぜひ自治体には始めていただきたいのですね。

アナウンサー　そういったなかで、現場を支える福祉専門職の方の業務の継続についても考えなければいけないですよね。

立木　はい。そうです。業務を継続するために、まずは、万が一災害が起こった場合に自分たちが絶対に止めてはいけないサービスは何なのかというのを確定する。そして、この方々に関しては、どうすればサービスの継続ができるのか、あるいはそれを行うためにコロナウイルスの蔓延しているなかで自分たちの安全をどう確保するのか。たとえばＰＰＥといいます個人保護具、マスクであるとか手袋であるとか、あるいはエプロンを事前に確保しておく。そして、そういったものの使い方の練習をしておく。これはＷｅｂ上で動画が公開されています。そういったもので自分たちの身を守るということをまずは確保しながら、自分たちのサービスの継続について、今からプランを作っていただきたいのですね。

アナウンサー　今この時間が、誰一人取り残さない防災のための時間であるということがいえますね。

立木　ええ。もうその通りなのです。避難所の数が恐らく多数になりますので、元気な方々が指定避難所に行かれたら、お客さんになるのではなくて自分たちで避難所の運営をする。どうやってウイルスに自分自身がかからないようにするのかと同時に、行政の方に避難所の運営をお任せするのではなく、皆さんで避難所の運営をする。そういう心構えや準備をぜひやっていただきたいと思います。

⑥ 合理的配慮の提供

合理的な配慮とは何だろうか

〈平等〉と〈公正〉

当事者力を高め、次に地域力を高める手順について話しを進めた。三つ目の課題は、社会が誰一人取り残さないための、正義の基盤に誰もが気づくということだ。ここでキーワードになるのは、〈合理的な配慮の提供〉である。前章の避難生活編の地域調整会議の場でも〈配慮〉という言葉は多用された。

〈配慮〉、あるいはより正確には、〈合理的な配慮〉とは何だろうか。**図1**の喩えがわかりやすい。左側のイラストが、これまでの防災担当者の考えてきた避難所運営の原理である。一人あたりGDPが五〇〇〇ドルの時代に作られた、災害救助法での平等の考え方、つまり被災したらみんな同じだから、避難所にあるものは平等に、すなわち同じだけ提供するという絶対的な平等原則である。

ところがこれでは、イラストにあるように、背の低い人は踏み台が一つだけならば野球を観ることができない。ここで正義というのは、結果が平らに均されて皆に提供される――皆が等しく野球を観ることができるようにする――ことである。実現すべき正義は、公正という価値なのだ。

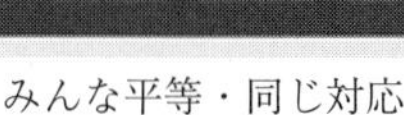
みんな平等・同じ対応

バリア（障壁）を取り除くための
合理的配慮が必要

図１　合理的配慮とは？

公正を実現するには、この例では次のようになる。右側の背の一番低い人には踏み台を二つ提供する必要があり、真ん中の人には一台必要である。そして左側の、十分に背の高い人には、踏み台は不要だという考え方だ。避難所を例に取るならば、当事者の実情に応じて、避難所にある資源の提供を調節すること。これが、合理的な配慮の提供である。

個別のニーズに即して資源の提供を調節をすること。これこそ一人あたりＧＤＰが三万五〇〇〇ドルになった二一世紀の日本の防災がめざす原理である。二〇一三年の災害対策基本法の改正で定義された個別の事情に配慮した防災の考え方もその延長線上にある。そして、このような配慮提供に長けたのは誰かというと、従来の防災マインドの職員ではなくて、むしろ福祉マインドに長けた福祉専門職の方々なのだ。皆さんこそが、誰一人取り残さない防災の実現のために、誰よりもその技量を兼ね備えている。

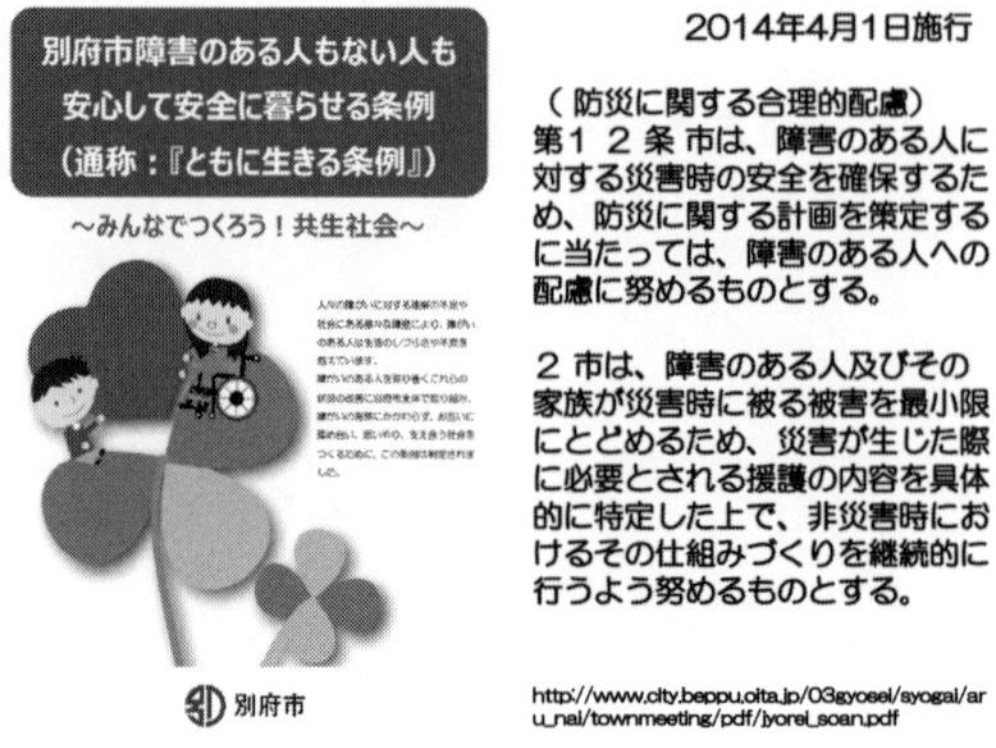

別府市障害のある人もない人も
安心して安全に暮らせる条例
（通称：『ともに生きる条例』）
～みんなでつくろう！共生社会～

別府市

2014年4月1日施行

（防災に関する合理的配慮）
第１２条 市は、障害のある人に対する災害時の安全を確保するため、防災に関する計画を策定するに当たっては、障害のある人への配慮に努めるものとする。

２ 市は、障害のある人及びその家族が災害時に被る被害を最小限にとどめるため、災害が生じた際に必要とされる援護の内容を具体的に特定した上で、非災害時におけるその仕組みづくりを継続的に行うよう努めるものとする。

http://www.city.beppu.oita.jp/03gyosei/syogai/aru_nai/townmeeting/pdf/jyorei_soan.pdf

図２ 別府市の障がい者差別解消条例

別府市の〈ともに生きる条例〉

このような合理的な配慮の提供こそが、別府で始めたモデル事業の根幹にある考え方なのだが、なぜ別府でそれが可能だったのか。それは、別府市では障がいのある人に対する差別禁止条例が、通称〈ともに生きる条例〉として、国の障害者差別解消法よりも先に施行されていたからだ。別府市の条例では、災害時の当事者への合理的な配慮の提供は、行政の責務であるというふうに書き込まれた（**図2**）。これは、調整会議でもつなぎ役として活躍された、別府市危機管理課のインクルージョン・マネジャーの村野さんが活動を展開する基盤にもなっていた。

では、別府で可能だったことが、はたしてそれ以外の場所、たとえば兵庫県でも可能なのかというと、それは決して無理なことではない。日本全国、どこでも可能なのである。

障害者の権利条約の批准

二〇一四年一月、日本は国際条約である障害者の権利条約に批准した。日本では、国連でこの条約が定められてから一〇年近くかけて、批准のために法律の書き換えをＪＤＦなどの当事者団体との協議をしながら進めるという、大変に丁寧な取り組みを行った。批准にそなえて、国内のさまざまな法制の改正を行った（図3）。その大きなものの一つが、障害者基本法の改正である（二〇一一年七月成立、同八月施行）[8]。東日本大震災で障がいのある人に被害が集中した事実を受け、二〇一一年三月からの国会での審議を通じて災害時の合理的な配慮の提供が、第二十六条として追加され、そのなかに書き込まれた。

さらに障害者差別解消法も成立させ、二〇一六年四月には施行された[9]。このなかでは当然、差別はダメだということが書かれているが、その差別の定義が非常に重要だ。

差別にはあからさまに不当な取り扱いという直接的な差別と、合理的な配慮を提供しないという間接的な差別と二種類ある。そのどちらも国・地方公共団体はしてはいけないという規定である。合理的配慮の提供は行政にとっては義務であり、事業者にとっての努力義務である。

合理的な配慮の提供は、国や地方公共団体だけの問題ではなく、事業者や国民一人ひとりにとっても努力するべき義務である。それに基づいて、福祉だけではなくて、教育だけではなくて、交通だけではなくて、防災の分野でも合理的な配慮の提供の一環として、今私たちが取り組もうとしている誰一人取り残さない防災というものがあるのだ。

＊　＊　＊

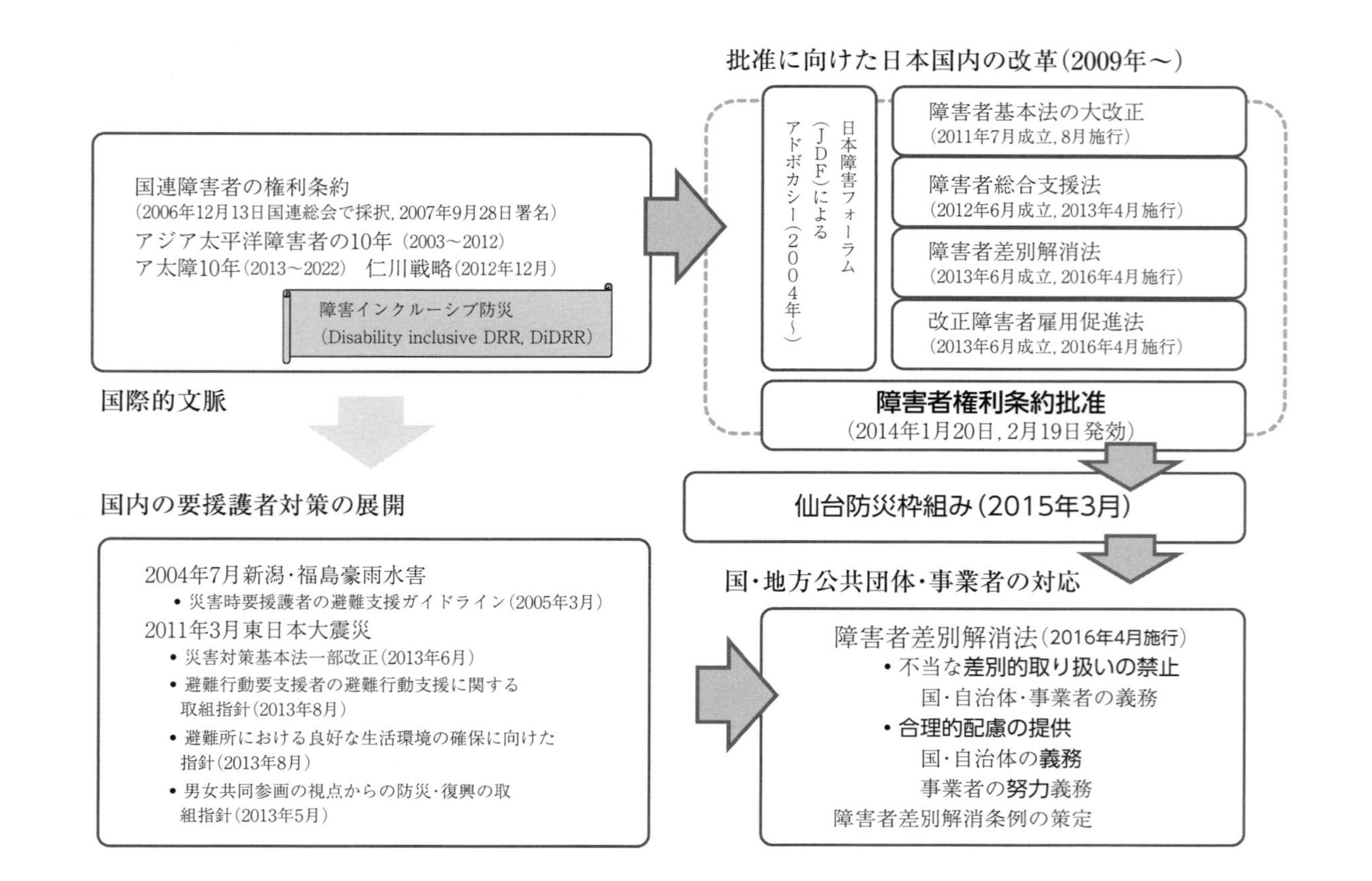

図3　排除させないために——制度的対応

障害者基本法

（防災及び防犯）

第二十六条　国及び地方公共団体は、障害者が地域社会において安全にかつ安心して生活を営むことができるようにするため、障害者の性別、年齢、障害の状態及び生活の実態に応じて、防災及び防犯に関し必要な施策を講じなければならない。

障害を理由とする差別の解消の推進に関する法律（障害者差別解消法）

（平成二十五年法律第六十五号）

第三章　行政機関等及び事業者における障害を理由とする差別を解消するための措置

（行政機関等における障害を理由とする差別の禁止）

第七条　行政機関等は、その事務又は事業を行うに当たり、障害を理由として障害者でない者と不当な差別的取扱いをすることにより、障害者の権利利益を侵害してはならない。

2　行政機関等は、その事務又は事業を行うに当たり、障害者から現に社会的障壁の除去を必要としている旨の意思の表明があった場合において、その実施に伴う負担が過重でないときは、障害者の権利利益を侵害することとならないよう、当該障害者の性別、年齢及び障害の状態に応じて、社会的障壁の除去の実施について必要かつ合理的な配慮をしなければならない。

（事業者における障害を理由とする差別の禁止）

第八条　事業者は、その事業を行うに当たり、障害を理由として障害者でない者と不当な差別的取扱いをすることにより、障害者の権利利益を侵害してはならない。

2　事業者は、その事業を行うに当たり、障害者から現に社会的障壁の除去を必要としている旨の意思の表明があった場合において、その実施に伴う負担が過重でないときは、障害者の権利利益を侵害することとならないよう、当該障害者の性別、年齢及び障害の状態に応じて、社会的障壁の除去の実施について必要かつ合理的な配慮をするように努めなければならない。

参考文献

（1）国土交通省（二〇一八）「1．平成三〇年七月豪雨災害の概要と被害の特徴」（https://www.mlit.go.jp/river/shinngikai_blog/hazard_risk/dai01kai/dai01kai_siryou2-1.pdf）。

（2）立木茂雄（二〇一八）「第一〇章　緊急事態」長瀬修・川島聡編『障害者権利条約の実施：批准後の日本の課題』信山社、二一九-二六一頁。

（3）「学校等の防災体制の充実について　第一次報告」文部省、平成七年一一月二七日（https://www.mext.go.jp/a_menu/shisetu/bousai/06051221/001.htm）。

（4）川見文紀・林春男・立木茂雄（二〇一六）「リスク回避に影響を及ぼす防災リテラシーとハザードリスク及び人的・物的被害認知とのノンリニアな交互作用に関する研究――二〇一五年兵庫県県民防災意識調査の結果をもとに――」『地域安全学会論文集』第二九号、一三五-一四二頁。

（5）内閣府（二〇二〇）「令和元年台風一九号災害被災四〇市町村住民対象Ｗｅｂ社会調査」二〇二〇年一月一一日～一三日実施（Shinya Fujimoto, Fuminori Kawami, and Shigeo Tatsuki, External and Internal Validation of the Disaster Schema-Initiated Evacuation Decision-Making Model, A poster/video presentation, 45th Annual Natural Hazards Research and Applications Workshop, July 12, 2020）。

（6）日本相談支援専門員協会（二〇二〇）．厚生労働省令和元年度　障害者総合福祉推進事業『避難行動要支援者に対する個別計画作成における計画相談支援事業者等の協力に関する調査・研究事業調査報告書』。

（7）「「警戒レベル４」で危険な場所から全員避難！　５段階の「警戒レベル」を確認しましょう」政府広報オンライン

（https://www.gov-online.go.jp/useful/article/201906/2.html）。

内閣府防災情報のページ「避難勧告等に関するガイドラインの改定（平成三一年三月二九日）」（http://www.bousai.go.jp/oukyu/hinankankoku/h30_hinankankoku_guideline/index.html）。

（8） 内閣府「障害者基本法の改正について（平成二三年八月）」（https://www8.cao.go.jp/shougai/suishin/kihonhou/kaisei2.html）。

（9） 内閣府「障害を理由とする差別の解消の推進に関する法律（平成二十五年法律第六十五号）」（https://www8.cao.go.jp/shougai/suishin/law_h25-65.html）。

障害者差別解消法リーフレット（https://www8.cao.go.jp/shougai/suishin/sabekai_leaflet.html）。

おわりに

本ブックレットの内容を読み進んでいただき、皆さんお疲れさまでした。このなかで一緒に皆さんと共有化したかったこと、それは当事者の力を高めたい、地域の力を高めたい、そして、障がいのある人の権利を守り、実現したい。たとえそれが災害のときであっても、あるいは災害のときゆえに、障がいのある人への正義を実現したい。

そのために、福祉の立場の皆さま方は、防災の視点からも、とても大切な働きができる。いや、むしろ、防災だ、福祉だ、そういう切り分けをもうやめましょう。どちらもが連結することによって、年齢の高い方や、障がいのある方々の命を守れる。そういった新しい歩みを、あるいはそういった新しい仕組みをこの社会のなかに実現したい。

新しい社会の実現のための運動に、ぜひ、皆さま方お一人おひとりが、手を携えて、いっしょに関わっていただければと、切に願っています。

本ブックレットの作成にあたり、本テーマに関連したメディアでの直近の発言を再録しました。NHK大阪「関西ラジオワイド」防災コラム（二〇二〇年四月九日）、NHK大津「しが!!　防災応援ラジオ」（二〇二〇年四月一七日）、共同通信「指標」欄への寄稿（二〇二〇年七月一三日配信）。

なお、本ブックレットは以下の研究費の成果物です。ここに記し、感謝申しあげます。科学技術振興機構（JST）社会技術研究開発センター（RISTEX）SDGsの達成に向けた共創的研究開発プログラム（ソリユーション創出フェーズ〕「福祉専門職と共に進める「誰一人取り残さない防災」の全国展開のための基盤技術の開発」(JPMJRX19I8)(二〇一九年一一月一五日〜二〇二三年三月三一日、研究代表 立木茂雄)、および文部科学省科学研究費基盤研究(A)「インクルーシブ防災学の構築と体系的実装」(17H00851)(二〇一七年度〜二〇二一年度、研究代表 立木茂雄)。

最後になりましたが、本ブックレットの緊急出版を快くお引き受けいただいた萌書房の白石徳浩社長、前著(『災害と復興の社会学』)に引き続き、きわめて短期間に大変丁寧に編集作業を進めてくださった小林薫様に心より感謝申しあげます。

二〇二〇年八月一六日

立木 茂雄

i－BOSAIブックレットNo.1

誰一人取り残さない防災に向けて、福祉関係者が身につけるべきこと

２０２１年10月５日　初版第２刷発行

著　者　立木茂雄
発行者　白石徳浩
発行所　有限会社　萌書房
〒630-1242　奈良市大柳生町３６１９－１
TEL　０７４２-９３-２２３４
FAX　０７４２-９３-２２３５
[e-mail] kizasu-s@m3.kcn.ne.jp
装　幀　はやしとしのり
印　刷　共同印刷工業株式会社
製　本　新生製本株式会社

ISBN978-4-86505-140-4

「i-BOSAIブックレット」発刊に際して

多くの災害が起こるたびに、年齢がより高い人や障がいのある人たちに被害が集中してきました。また、女性や生活困窮者、その他のマイノリティの人たち、あるいはニューカマー・一時滞在中の外国籍の人たちが被災すると、社会の根底にある社会的障壁により支援の手が届きにくい事例にも枚挙に暇がありません。このような状況をなんとか解決したい。

そのために、防災をどのように考えるのか、あるいは私たちはそれぞれの立場からどのような関わりをしていくべきなのか、それらの問題をこのブックレットの中で考えていきたいと思います。「i-BOSAI」の「i」はinclusive（包摂的＝誰一人取り残さない）の「アイ」、私（I）から始めるの「アイ」、「愛のある防災」の「アイ」です。

目標は、誰一人取り残さない防災の実現です。当事者が誰一人取り残されない。地域社会は誰一人取り残さない。そして自治体・行政は誰一人取り残させない。これら三つの力を重ね合わせることによって、高齢の人や障がいのある人たち、そして支援の手が届きにくいすべての人たちの被害を最小限に留め、ひいては命を守りたいのです。

本ブックレットが、「誰一人取り残さない防災」実現への一歩となることを願って已みません。

（二〇二〇年八月）